BOGUSŁAW S. USTABOROWICZ

JAK ŻYĆ GODNIE I
...WYGODNIE

UMBRELLA PROSPERITY PUBLISHING, INC.
CHICAGO 1994

Redakcja tekstu:

MARIA IRENA RZECZYCA

Skład komputerowy i projekt okładki:

KAZIMIERZ RZECZYCA

Umbrella Prosperity Publishing, Inc. Chicago 1994
ISBN 0-9639011-2-5

JIM EDGAR
GOVERNOR

May 5, 1993

Mr. Boguslaw Ustaborowicz
4606 North Harding Avenue
Chicago, Illinois 60625

Dear Mr. Ustaborowicz: .

As Governor of the State of Illinois, I would like to commend you for your publications which have helped people in Polonia and America. Your lectures and conferences assist people in realizing the strength they have within themselves.

On behalf of the citizens of Illinois, I wish you much success as you continue to assist people to set goals and meet the challenges in their lives.

Sincerely,

Jim Edgar
GOVERNOR

JE:pm

"We wszystkim lepiej jest mieć nadzieję niż oddawać się rozpaczy".

Johann W. Goethe

DRODZY CZYTELNICY

W Wasze ręce oddaję moją trzecią książkę. Chciałbym, aby stała się ona odpowiedzią na wiele powstających problemów, które przysparzają kłopotów w codziennym życiu.

Zarówno listy Państwa jak i bezpośrednie oraz telefoniczne rozmowy, zadecydowały o wyborze zagadnień, które pojawią się na kartach tej książki, a także w następnych moich książkach. Żyjemy w okresie ogromnych przemian. Walą się wielkie systemy polityczne i gospodarcze, które nie wytrzymały próby czasu. W ich miejsce rodzą się nowe koncepcje.

Tam, gdzie zabrakło zrozumienia, umiejętności porozumienia się, poprawnego sposobu negocjacji, pojawiły się trudności. Wiele spornych spraw załatwiono niewłaściwie, o czym świadczą negatywne wyniki.

Ludzie cierpią i ponoszą często konsekwencje za rzeczy niezawinione. Przyczyny tego bywają subiektywne i obiektywne. Nieodpowiednie przygotowanie się do życia, brak odwagi w podejmowaniu decyzji oraz brania odpowiedzialności za własne życie stanowią część składową naszych niepowodzeń.

Człowiek nie może być w pełni szczęśliwy jeśli ciągle spogląda za siebie. Wraca do tego co przeminęło. Obciąża swój umysł tym co nieważne i nie pozwala mu koncentrować się na dniu dzisiejszym. Obciążenia te hamują rozwój i wzrost osobowości człowieka.

Umiejętność cieszenia się, przeżywania radości pomaga w odczuwaniu własnej wartości. Poczucie własnej godności jest fundamentem właściwego stosunku do innych ludzi. Całe nasze życie podlega stałym cyklom narodzin, śmierci i odradzania się w nowych, doskonalszych formach. Stare przemija a nowe się rodzi. Moja wielka przygoda życia dopiero się zaczyna. Patrzę na otaczający mnie świat szeroko otwartymi oczyma. Każdy nowy dzień daje mi okazję do poznawania wspaniałych ludzi, rzeczy i do poszerzania wiadomości.

Wszystkie rozmowy z czytelnikami, radiosłuchaczami, nowopoznanymi ludźmi potwierdzają, że dobro i prawda zawsze zwyciężają, zaś uczciwość i solidność stanowią najważniejszą bazę w drodze do sukcesu.

Dr L. Buscaglia napisał: "Kiedy nie lubisz sceny na której jesteś, kiedy jesteś nieszczęśliwy, samotny i nie czujesz, aby się coś na niej działo, dokonaj jej zmiany. Namaluj nowe tło, otocz się nowymi aktorami. Napisz nową sztukę i jeśli okaże się, że nie jest dobra wyrzuć ją i pisz inną".

Autor

TWOJE POSTAWY

1. GDZIE SZUKAĆ BEZPIECZEŃSTWA I GWARANCJI

Największe zabezpieczenie i pewność w każdej sytuacji mają ci, którzy podejmują działania z pełną świadomością, odwagą, przez co zaczynają odczuwać stabilizację, w jakiej się znaleźli.

Nie ma człowieka, który nie pragnie czuć się pewnie, bezpiecznie i mieć pełną gwarancję w różnych dziedzinach własnego życia, takich jak: małżeństwo, miłość, praca zawodowa. Pewni jesteśmy wówczas, gdy czujemy się potrzebni innym. Ale to, w jakim stopniu jesteśmy potrzebni, zależy od nas samych.

Wydaje się, że spotykamy zbyt mało ludzi szczęśliwych i w pełni bezpiecznych. Praca sama w sobie nie gwarantuje nam zabezpieczenia bytu. Spotykamy dwie osoby pracujące w tym samym zakładzie, na tym samym dziale i jedna z nich ma zapewnioną pozycję, a druga nie. Dlaczego?

Otóż dlatego, że ta pierwsza osoba czuje się potrzebna dla zakładu, w którym pracuje. Podejmuje zadania z pełną odpowiedzialnością. Zdaje sobie doskonale sprawę ze swoich wartości, zdolności i umiejętności, wie jak je spożytkować, a tym samym przyczynić się do zwiększenia wydajności firmy. Ponadto wierzy w stabilność zakładu i jego solidność. To wszystko daje jej poczucie pewności i bezpieczeństwa.

Spójrzmy na piłkarza. Ten, który strzela najwięcej bramek, przyczynia się do sukcesu całego zespołu. Ma on zatem największe szanse do utrzymania się w tym zespole.

Jeśli rodzice obdarzają miłością dzieci, przyczyniają się do ich sukcesu, mogą być pewni, że dzieci są dla nich gwarancją. Czują się wzajemnie potrzebni.

Potrzebni zaś jesteśmy do tego stopnia, do jakiego rozwiniemy zdolności do działań uwieńczonych powodzeniem, w sytuacjach w jakich się znajdujemy.

Poczucie bezpieczeństwa następuje u każdego z nas, kiedy robimy to, co potrafimy najlepiej i równocześnie czujemy, że stać nas na wykonanie tego.

Trudno byłoby mieć pewność wygrania na przykład konkursu piosenkarskiego komuś, kto nie ma odpowiedniego głosu i przygotowania, mimo że osoba taka lubi muzykę i śpiew. Ale kiedy czujemy wewnętrzną potrzebę lub przekonanie, że moglibyśmy stanąć do konkursu, wystarczy kształcić głos, podjąć wysiłek związany z nauką, a efekty mogą być szybko widoczne.

Tę zasadę można odnieść do wielu dziedzin życia.

Bezpieczeństwo i gwarancje nie istnieją na zewnątrz, one są wewnątrz nas.

Każdy musi czuć się potrzebny. Ta prawda odnosi się do wszystkich aspektów naszego życia: rodzinnego, zawodowego, towarzyskiego, społecznego.

2. UWIERZ, ŻE MOŻESZ BYĆ TYM, KIM PRAGNIESZ

Wykonujesz swoją pracę uczciwie, sumiennie. Czy nie odczułeś kiedyś niespełnienia w pracy , czy nie oczekiwałeś czegoś innego niż jest? Czy pragniesz szansy na zmianę swojej kariery? Czy zastanawiałeś się co byłoby dla Ciebie korzystniejsze, przyjemniejsze, co zmieniłbyś w swojej pracy? A może chciałbyś robić coś zupełnie innego niż to, co wykonujesz obecnie?

Nie bądź zdziwiony, kiedy znajdziesz więcej niż jedną okazję do robienia kariery.

Jest wiele osób, które wykonują dwie, a nawet więcej karier w tym samym czasie.

Kariera - to przebieg życiowej działalności zawodowej, politycznej, społecznej, to szybki awans społeczny, zawodowy, to sukces, powodzenie, dobra pozycja życiowa.

Poprzez nauczenie się, jak można maksymalnie wykorzystać swój wolny czas, możesz otworzyć się na wiele okazji, które niesie Ci życie. Wielu ludzi rozwija własne hobby, które przynoszą im korzyści. Może to być produkcja antycznych mebli, hodowla roślin doniczkowych, zwierząt futerkowych, itp. Twój wiek nie ma znaczenia. Wielu bardzo młodych ludzi prowadzi doskonale funkcjonujące biznesy. Również starsi już wiekiem osiągają znaczące sukcesy. Fryderyk Chopin w 7 roku swego życia skomponował aż trzy Polonezy. Zaś Winston Churchill po przejściu na emeryturę premierowską stanął w wyborach do Parlamentu. Miał wówczas 84 lata. Odniósł zwycięstwo. W tym samym roku wystawił 62 obrazy przez siebie namalowane.

Uwierz, że możesz być tym, kim zapragniesz. Sięgnąć po wymarzone rzeczy. Nie musisz być tym kim nie chcesz. Wszystko to zależy od Ciebie. Masz wolny, świadomy wybór. We właściwym czasie, podświadomość może skierować Cię do działań, wykorzystując Twoje naturalne wrodzone zdolności.

Na tym poziomie odkryjesz swoje własne talenty, wewnętrzną wiedzę, które możesz w każdej chwili zastosować w różnych dziedzinach życia.

Nie wszyscy w jednakowym czasie potrafią realizować własne wewnętrzne dary. Jednym potrzeba długiego okresu czasu, inni dokonują tego szybko.

Zdarza się i to dość często, że człowiek obdarzony jest wieloma naturalnymi zdolnościami i musi zadecydować, które z nich zaktywizować w pierwszej kolejności.

Bywa, że ludzie pędzą, chcą jak najszybciej zrobić karierę. Często jest to niewłaściwe. Najpierw trzeba w wielkim skupieniu i spokoju wysłuchać własnego wnętrza i otworzyć się na okazje jakie niesie życie. Poprzez uważne wyciszenie zewnętrznego umysłu uzyskujesz nową świadomość i kierownictwo w swoim wewnętrznym umyśle.

Dla ułatwienia ludzie sporządzają sobie listy tego co planują zrobić oraz tego czego nie chcą.

Człowiek, który z pasją łowi ryby obdarzony jest wielką cierpliwością i wytrwałością. On wie, że wędkę trzeba zarzucać w różne miejsca. Jest przekonany, że należy wracać do tych miejsc, które nie dały oczekiwanych wyników. W tym samym miejscu jednego dnia ryba nie bierze, w innym dniu połów jest znakomity. W życiu potrzebna jest taka wytrwałość i cierpliwość, jak przy łowieniu ryb. Wówczas osiągnąć możesz bardzo wiele. Każda chwila Twojego życia powinna być przemyślana. Nawet wolny czas, bowiem i tu używasz swojej energii. Kiedy robisz głęboki wdech i wyciszasz własne myśli, tworzą się nowe kierunki, nowe symbole Ciebie samego. Nie ma znaczenia czy jest to dostrzegalne w danej chwili przez Ciebie, czy nie. **Teraz jest ważne to, że posiadasz głębokie pragnienie odważnego nowego postępowania, że chcesz wyjść ze starych utartych dróżek i nieaktualnych wzorów do zupełnie czegoś nowego.**

W momencie, gdy odważysz się uwierzyć, kiedy zaufasz życiu i zaczniesz słuchać swojej podświadomości, zdasz sobie sprawę, że Twoja przyszłość jest wyznaczona przez ostrożne i mądre wybory jakich dokonałeś teraz.

W twórczej wyobraźni patrz do przodu, oglądaj siebie blisko jesieni Twego życia . Jesteś wówczas starszy, z bagażem doświadczeń, dużej mądrości życiowej. Z tej perspektywy możesz dokonać przeglądu całego życia. Kiedy mentalnie spoglądasz wstecz na własne życie, zapytaj siebie czy jesteś zadowolony z tego co dostrzegasz. Czy wykorzystałeś wszystkie swoje zdolności i umiejętności, czy byłeś uczciwy w postępowaniu, czy służyłeś radą i pomagałeś innym?

Taki przegląd pozwoli Ci na wyeliminowanie tego co niewłaściwe i dobraniu najlepszych kierunków do działania w życiu obecnym. Kieruj się nimi.

3. JAK PRACUJESZ, KIEDY NIKT NA CIEBIE NIE PATRZY

Tempo życia jest tak szybkie, że pędząc do przodu nie mamy czasu przyjrzeć się sobie.

Od czasu do czasu powinieneś stanąć z boku i obiektywnie spojrzeć na siebie, na swoje zachowanie, postępownie, wykonywaną pracę. Jak pracujesz, kiedy nikt na Ciebie nie patrzy? Jakie masz nastawienie do pracy, do tego co robisz? Jaka jest Twoja postawa wobec interesantów? Jak zachowujesz się w codziennych kontaktach z kolegami?

Wiele osób przez całe życie pracuje w jednym zakładzie, ale są i tacy, którzy zmieniają miejsce pracy.

Na co pracodawca zwraca uwagę przyjmując nową osobę do pracy?

- Jak długo pracowałeś w poprzednim miejscu.
Daje to obraz Twojej stabilności. Osoba często zmieniająca pracę nie jest mile widziana w nowym zakładzie. Zachodzi obawa, że i tym razem pracę może podjąć na krótko.

- Jaki rodzaj pracy wykonywałeś, ogólny czy specjalistyczny.
Pracodawcy wolą tych, którzy wykonują jeden określony rodzaj pracy. Mogą oni rozwinąć swoje sprawności i stać się ekspertami w swojej dziedzinie.

- Czy zarobki Twoje były stałe, czy też ulegały zmianie.
Niestabilność otrzymywanych poborów, a szczególnie huśtawka płac mogą być dla Ciebie niekorzystne.

- Będziesz musiał udzielić informacji o własnych sprawach finansowych, o ubezpieczeniach i kredytach.
Kredyty w Stanach Zjednoczonych są bardzo popularne i przestrzeganie terminu płatności rat jest ogromnie ważne. Świadczą o solidności osoby. Na podstawie tych wiadomości pracodawca będzie miał obraz, jakim jesteś człowiekiem.

- Jakie masz wykształcenie i czy ono jest przydatne dla firmy.

- **Jakie jest Twoje podejście do życia.** Czy uważasz, że życie jest takie jakie sam je sobie stwarzasz, czy zależy ono od szczęścia.

- **Jak traktujesz sam siebie. Czy masz poczucie humoru.**

Odpowiedź na powyższe zagadnienia wraz z referencjami da obraz Twojej osoby, jako pracownika. Zadecyduje o tym czy zostaniesz przyjęty, czy też nie.

Jeśli masz chwilę czasu spróbuj wczuć się w rolę pracodawcy, który ma Cię zatrudnić. Przeanalizuj powyższe pytania i sprawdź swoją wartość i przydatność do zawodu, w których chcesz pracować.

4. MOTYWACJA DO PRACY

Myślę, że nie będę w błędzie jeśli powiem, że jedynym rodzajem człowieka, który nie podlega motywacji jest zmarły.

Psychologowie przypominają nam ustawicznie, że istoty ludzkie funkcjonują na bazie: przyjemność - ból.

Innymi słowy, jesteśmy motywowani do poszukiwania przyjemności i unikania bólów.

Ludzie doświadczają wielu przyjemności. Znajdują je w wolności, pożywieniu, seksie, itd.

W jakim celu ludzie podejmują pracę i wykonują ją? Z powodu mniejszej lub większej przyjemności? W celu zarobienia pieniędzy? Dla sukcesu?

Pracują po to, aby czuć się szczęśliwymi i dokonywać samorealizacji.

Wyniki pracy i zadowolenie z niej w dużym stopniu będą zależały od menedżera. Od tego, jak będzie on motywował, zachęcał swoich pracowników. Jakie stworzy warunki do wykonywania zadań.

Najbardziej efektywnym sposobem na motywację pracowników jest edukacja.

Jednym z ważnych zadań przemysłu jest motywacja ludzi. Chodzi tu o motywowanie pracowników do autentycznie dobrej, wydajnej pracy, do odczuwania dumy z dobrze wykonywanych obowiązków.

Firma pragnie motywować swój zespół do tego, aby lepiej

sprzedawał jej wyroby. Również motywuje klientów do zakupu produktów lub korzystania z usług, jakie im oferuje.

MOTYWACJA, to kluczowe słowo. Oznacza - uzasadnienie, wyjaśnienie pobudek, bodziec, powód (do działania).

Wierzę i jestem przekonany, że edukacja i wiedza są istotnymi środkami na motywację. Jest rzeczą oczywistą, że im człowiek wie więcej, tym jego horyzont myślenia i działania bardziej się poszerza. Energia połączona jest z pragnieniem, idą one w parze. Im mniejsze jest pragnienie człowieka, tym mniej mu potrzeba energii. Zdobywając większą wiedzę podnosimy pragnienie osiągnięcia czegoś ważnego. Może to być zdanie egzaminu z bardzo dobrym wynikiem, zastosowanie zdobytych wiadomości w pracy, itd. Realizując zaś te pragnienia wzrasta w nas energia.

Kompania, w której pracujemy jest egoistyczna. Motywuje do podnoszenia wiedzy celem osiągania korzyści. Korzyści te czerpią również kupujący, bowiem wyroby produkowane mają lepszą jakość i są tańsze. Szybciej trafiają do odbiorcy.

Pragnienie posiadania ładnego domu, samochodu, znacznego konta oszczędnościowego, to nie jest zachłanność. Jest to naturalne pragnienie lepszego i łatwiejszego życia dla siebie, dla rodziny. Są to rzeczy możliwe do osiągnięcia dla każdego z nas.

Myślę, że człowiek powinien być uświadomiony, że ograniczenia w jego życiu w większości są narzucone i mogą być pochodną braku informacji albo wiedzy.

Wracając do poprzednich stwierdzeń wiemy, że im więcej mamy wiadomości, tym bardziej wzrastają nasze pragnienia. One zaś mobilizują nas do pracy, często nawet ciężkiej. Im ciężej pracujemy, tym więcej otrzymujemy. I tu pojawia się chęć zdobycia większej sumy pieniędzy, znacznych przywilejów, przyjemności przy zmniejszonym nakładzie pracy.

Jeśli w wykonywanej pracy zabraknie sumienności produkt ma obniżoną jakość. Za złą jakość płaci klient. Pracownik wykonujący produkt o obniżonej wartości zapomina, że i on jest również klientem.

Bez wzbogacania innych nigdy nie staniesz się bogatym. Jeśli przyczyniasz się do pomyślności, przez nią sam się wzbogacasz.

Problem ten jest szczególnie ważny dla ludzi rozpoczynających karierę zawodową. Powinni oni zrozumieć, że otrzymywanie czegoś za nic jest niemożliwe.

Zastanów się co wspólnego mają ze sobą wszystkie sporty i gry? Gry mają jasno określone zasady. Dają graczom możliwość orientacji na jakiej pozycji się znajdują i jakie osiągnęli wyniki. Wszystkie gry i zawody sportowe mają cel.

Istnieje prawdopodobieństwo, że pracownicy są w podobnej sytuacji, jak gracze piłki nożnej. Nie znają wyników, nie są pewni, jakich manewrów mogą użyć przeciwnicy, stąd też nie potrafią trafnie rozpoznać zasad gry.

W sporcie, kiedy zawodnicy opuszczają boisko mają pełną świadomość swojej wygranej lub przegranej. Wynik jest znany. W przypadku robotnika jest inaczej. Kończy pracę, wychodzi do domu i nie wie czym zakończył się jego dzień pracy, nie zna wyników ani osiągnięć.

Celowym by było, aby menedżer stworzył system mierzenia osiągnięć swoich pracowników. Powinien opracować pięć do dziesięciu wyznaczników oceniających ulepszenia i ustalić serię osiągalnych celów w kategoriach tych wyznaczników.

Pamiętać należy, że każdy kompetentny pracownik jest ekspertem w swojej wąskiej specjalizacji. Dobry menedżer powinien skrzętnie zbierać opinie od każdego pracownika i włączać je do swojego działania celem udoskonalenia pracy zakładu i podnoszenia wydajności. Takie podejście pozwoli na pozyskanie zaufania i dobrej współpracy.

Dużą siłę motywacyjną do wydajnej pracy ma pochwała i nagroda. Przełożony musi dostrzegać wysiłek i wkład pracy ludzi i odpowiednio ich wyróżniać i nagradzać.

Również istotne jest, aby pozwalać pracownikom na podejmowanie decyzji, szczególnie takich, które dają szansę na podniesienie wydajności ich pracy i wewnętrznego zadowolenia.

Zakończę to rozważanie bardzo mądrym stwierdzeniem, które kiedyś usłyszałem: "Najważniejsza godzina w życiu człowieka jest w momencie, kiedy usiadł do planowania lub zarobienia pieniędzy".

5. POZYTYWNE PREZENTOWANIE SWOJEJ OSOBY

W życiu spotykamy wielu ludzi odnoszących sukcesy. Zwycięzcę łatwo można rozpoznać. Promieniuje on ciepłem ze swojego wnętrza. Ponadto jest otwarty i przyjazny. Zwycięzca wie, że uśmiech jest językiem uniwersalnym, który otwiera drzwi, zastępuje tysiące słów, czasem nawet obezwładnia. Uśmiech jest światłem w Twoim oknie. Mówi o Twojej troskliwości i gotowości do dzielenia się dobrem. Zwycięzcy wiedzą, że pierwsze wrażenia, jakie wywołujemy swoją osobą, mają potężną moc. Zostawiają po sobie trwałe nastawienia innych do nas. To pierwsze wrażenie pozostawia niezatarty ślad. Staraj się, aby ono było silne, bowiem takiej samej szansy już nie będziesz miał nigdy. Wewnętrzne stosunki w pierwszych 4 minutach rozmowy mogą być wygrane lub przegrane.

Wiele karier, a także wielkich pozycji w sprzedaży i transakcjach, zostało zaakceptowanych bardzo szybko, już podczas pierwszej rozmowy kwalifikującej czy negocjacji.

Każdy człowiek posiada swój odbiornik satelitarny, do którego nikt nie może się włączyć na tej samej częstotliwości.

Zwycięzcy wiedzą, że istotnym elementem w kontaktach między ludźmi jest poziom zrozumienia korzystny dla drugiej osoby lub grupy.

Oni wiedzą, że nadają i wysyłają swoje myśli, ale i odczytują drugiego człowieka przy pomocy swojego specjalnego systemu.

Pozytywne przedstawianie siebie zawiera to, co jest najlepsze w jednostce, to co emanuje z wnętrza i objawia się na zewnątrz. To objawianie wartości następuje do każdego kogo spotykasz, w każdym działaniu, w jakim bierzesz udział.

Pragniesz w swym życiu wielu rzeczy. Osiągnąć je możesz pośrednim wysiłkiem. Pośredni wysiłek jest jednym z ważniejszych praw życia. Prawo to mówi, że szybciej i z większymi rezultatami osiągamy wiele rzeczy w sposób pośredni niż bezpośredni, podczas działań skierowanych na innych ludzi.

I tak dla przykładu, pragniesz dla siebie szczęścia. Jesteś szczęśliwy, ale chcesz być szczęśliwszy. Będziesz tylko wówczas szczęśliwy, kiedy będziesz zajęty działaniem. Działanie nadaje sens dla rozwoju i wzrostu szczęścia oraz dopełnia je.

Arystoteles w swej książce "Etyka" zwracał uwagę, że szczęście nie jest celem, lecz jest procesem albo warunkiem. Szczęścia więc nie znajdziemy bezpośrednio, ale pośrednio na drodze działań. Bardzo często zależy nam na tym, aby ludzie zaczęli się nami interesować. Najpewniejszym sposobem na to jest zainteresowanie się nimi.

Prawo pośrednich wysiłków działania mówi, że najlepszą metodą jest bycie pod wrażeniem ich osobowości, talentów, zdolności, umiejętności itp. Im bardziej będziemy zainteresowani tymi wrażeniami, tym intensywniej oni będą podziwiali nasze wartości. Kiedy pragniesz, aby ludzie wierzyli Ci, to okazuj im swoje zaufanie do nich. Gdy chcesz być lubiany, musisz pokazać swoją serdeczność innym. Jeżeli oczekujesz, aby Cię respektowano, to odnoś się z szacunkiem do ludzi. Nic nie otrzymujesz bezpośrednio. Swoim działaniem, czyli drogą pośrednią, musisz zdobywać dla siebie to, o czym marzysz.

Współżycie w pełnej harmonii z innymi jest ważnym elementem. Pomaga nam tu w dużym stopniu **zdrowa osobowość.**

Najzdrowsi i najszczęśliwsi ludzie na świecie to ci, którzy szukają dobra w każdej sytuacji.

Człowiek ze zdrową osobowością potrafi zgadzać się z ludźmi o różnych charakterach, od introwertyków do ekstrawertyków.

Odwiedzając szpitale psychiatryczne zauważymy, że ludzie przebywający tam posiadają chorą osobowość i nie potrafią współżyć z innymi.

Ludzie sukcesu mówią, że zwycięzcy zawsze wyglądają jak zwycięzcy. Prezentują się od najlepszej strony. Nie tracą czasu na miernotę, ciągle spieszą do przodu, są bardzo aktywni. Wygląd zewnętrzny, dbałość o ubiór, zdrowie świadczą o ich optymiźmie i zwycięstwach.

Badania potwierdzają korelację między dobrym wyglądem, a sukcesem w życiu.

Ludzie, którzy czują, że są nieatrakcyjni lub słyszą o tym od innych, mają tendencję do cierpień z powodu osamotnienia, odrzucenia i izolacji.

Zauważyć można już w szkole, że dzieci "ładnie wyglądające" są lepiej traktowane, zarówno przez rówieśników jak i nauczycieli. Dobrze wyglądający, to niekoniecznie piękny, ładny jak gwiazda filmowa. Chodzi tu o staranny ubiór, wcale nie drogi, o czystość osobistą, o uśmiech na twarzy, mimikę.

Stwierdzono już, że najpiękniejsze i najprzystojniejsi fizycznie są mniej szczęśliwi, mniej przystosowani do życia w grupie i często niezadowoleni.

Nie mamy wpływu na dobór genów, dziedziczymy je bez udziału naszej woli. Jesteśmy od nich, jak również od naszej ogólnej budowy ciała, skóry uzależnieni. Dlatego też powinniśmy zadbać o własne zdrowie i wygląd. Musimy zrobić wszystko, aby podbudować to co mamy. Zyskamy na swej atrakcyjności.

Człowiek zachowuje się tak, jak myśli. Nie zawsze bierze pod uwagę opinię innych ludzi.

Osoby, które umieją być zadowolone ze swego wyglądu, mają większe szanse na powodzenie w życiu.

W zależności od wykonywanego zawodu czy zajmowanego stanowiska dobierany jest ubiór. Na pewno inaczej będzie ubrany bankier niż dyrektor artystyczny lub farmer.

Jeżeli wyglądasz jak ktoś, kto znajduje się na szczycie wykonywanego zawodu, ludzie będą Cię tak właśnie akceptować. Będą przywoływać wszystko na potwierdzenie tej opinii.

W sukcesie dbałość o wygląd zewnętrzny jest bardzo ważna. Zwracasz nim na siebie uwagę. Jeśli nie traktujesz poważnie swojego wyglądu, możesz tym sobie wielce zaszkodzić, szczególnie kiedy wchodzisz w zawód, który ma swoje konserwatywne tradycje i własny styl.

Przytoczę autentyczną historię dwóch młodych profesjonalistów, która zilustruje wymownie, jak brak dbałości o siebie może działać ze szkodą dla pracownika.

Tomasz i Artur byli zaprzyjaźnieni. Ukończyli studia w prestiżowej uczelni z zakresu księgowości. Obydwaj byli wyróżniającymi się studentami. Tomasz był towarzyski, dobrze zbudowany, dbał o swój wygląd zewnętrzny. Artur również był towarzyski, ale zawsze miał nadwagę. Przywiązywał on mniej uwagi do swego wyglądu zewnętrznego.

Po uzyskaniu dyplomu rozpoczęli poszukiwania pracy w dużych, znaczących zakładach. Tomasz otrzymał kilkanaście ofert pracy. Wybrał jedną z nich. Artur zaś nie zdobył żadnej. Po jednej z rozmów, personalny, który prowadził z nim wywiad, powiedział mu wprost, że ceni u niego wiedzę, doskonałe kwalifikacje, stwierdza że jest przygotowany do wykonywania zadań, ale nie może go przyjąć, ponieważ wątpi w jego dobre reprezentowanie firmy wobec klientów. Słowa te mocno trafiły do zainteresowanego. Natychmiast zabrał się za ćwiczenia gimnastyczne. Odwiedził zakład fryzjerski. Kupił sobie kilka garniturów. Zmienił się ogromnie. Postanowił złożyć nowe oferty o pracę, ale tym razem w mniejszych firmach. Spotkało go rozczarowanie. Dostawał odmowy. Zaskoczony i podenerwowany sytuacją spytał wprost jednego z dyrektorów o przyczynę. Tym razem usłyszał, że doceniają jego przygotowanie do zawodu, ale obawiają się go zatrudnić, gdyż niepokoi ich fakt, dlaczego żadna z dużych firm nie zaangażowała go do pracy. Podejrzewają, że coś przed nimi ukrywa, stąd te obiekcje. Artur zdobył się na szczerość i wyjaśnił sprawę. Skończyły się dla niego problemy.

W dzisiejszym społeczeństwie istnieje rzeczywista potrzeba wartości wewnętrznych.

Zdajemy sobie sprawę, że najlepsza marka samochodu, dom w luksusowej dzielnicy lub drogie ubrania, jakie demonstrujemy światu, nie przekazują innym kim jesteśmy. Obecnie, w dobie funkcjonowania kart kredytowych, które tak łatwo możemy posiadać, każdy może nabyć dom, łódź motorową czy Cadillaca.

Nie musimy wcale wydawać fortuny, nie musimy być bogaci, aby zaznać szczęścia i osiągać sukcesy.

Poruszyłem sprawę dobrego reprezentowania się na zewnątrz, dobrego wyglądu. Pragnę zwrócić uwagę na jeszcze inną istotną sprawę, która wielu może wydawać się banalna. Chodzi mi o przedstawianie się zarówno w kontaktach telefonicznych, jak i bezpośrednich.

Kiedy telefonujesz powinieneś przedstawić się rozmówcy pełnym imieniem i nazwiskiem. Tym właśnie, w sposób bardzo pozytywny i informatywny, reprezentujesz własną wartość i dajesz innym natychmiastowy powód, aby Cię akceptowali jako kogoś ważnego, kogoś, kogo należy zapamiętać.

Ludzie sukcesu, tzw. zwycięzcy, pierwsi wyciągają rękę do powitania. Wiedzą, że tym okazują respekt dla innych. Wraz z ciepłym uściskiem dłoni wymieniają swoje nazwisko. Patrzą przy tym bezpośrednio w oczy rozmówcy i uśmiechem sygnalizują porozumienie.

Sposób, w jaki odnosimy się do innych, może zaważyć na naszej karierze, na dobrych stosunkach, itp.

W stosunkach międzyludzkich ważne jest porozumienie. Często dla nas samych nie jest jasne co chcemy powiedzieć. Przeszkodą bywają braki językowe, a czasami nieumiejętność jasnego precyzowania własnych myśli.

Zanika piękna sztuka konwersacji. Przyjęcia i spotkania towarzyskie stają się głośnymi, krzykliwymi dialogami. Obiady rodzinne, przy których dzielono się różnymi sprawami, zostały wyparte przez telewizję.

Język nasz jest bogaty i piękny. Starajmy się go używać poprawnie. Przyniesie to wielką radość dla naszego ucha i duszy.

6. DYSCYPLINA

Dyscyplina połączona z osiągnięciami staje się magiczną siłą. Nauczmy się uwalniać od wzorów postępowania przynoszących porażki i zastosujmy tę magię, aby osiągnąć nasze cele.

Jakie pierwsze myśli przychodzą Ci do głowy, kiedy usłyszysz słowo dyscyplina ?

Osoba z poważnym problemem nadwagi, może odżegnywać lęki związane z myślami o żelaznej woli, koniecznej do zachowania diety odchudzającej.

Gospodyni domowa może czuć się zawiedziona, kiedy próbuje utrzymać porządek w domu, a nie udaje się jej.

Pracująca matka może odczuwać niezadowolenie, podniecenie, podenerwowanie w wyniku codziennej żonglerki między potrzebami rodziny, a własną karierą. Dyscyplina pracy zawodowej może przysłonić lub osłabić troskę o rodzinę. Większość ludzi nie wiąże pojęcia dyscypliny z pozytywnymi uczuciami.

Dyscyplina, to podporządkowanie się przepisom regulującym stosunki wewnętrzne danej grupy: karność, rygor, ustalony porządek. Możemy mówić o dyscyplinie pracy, dyscyplinie szkolnej, wojskowej, itd. **Dyscyplina jest kontrolą osiągniętą przez wymuszone posłuszeństwo.** Dyscyplina może być treningiem, który doprowadza do pozytywnych rezultatów. Dyscyplinę można przestrzegać lub łamać.

Aby uzyskać lepsze spojrzenie na przedmiot dyscypliny musimy zrozumieć w jakim zakresie myśli i uczucia wpływają na nasze zachowania. Większość ludzi kieruje się uczuciami. Robią to co jest dla nich wygodne. Myśli pobudzają do działania. Uczucia mogą na zmianę pobudzać nasze myśli. Działanie wpływa na nasze myśli oraz na uczucia.

Kiedy nasze myśli i działania przebiegają w oparciu o komfort czujemy się dobrze i funkcjonujemy w pełnej sprawności.

Jest wiele różnych programów nagranych na taśmach, z których możemy czerpać korzyści w zakresie zdrowia, sprawności fizycznej, psychicznej, itd. Mogą one być poza strefą naszego komfortu, ale są dla nas niezbędne. Musisz przełamać swoje złe nastawienie, aby zacząć poprawnie działać. Tak na przykład stosując autohipnozę w diecie musisz zaprogramować swój umysł, a równocześnie wyrzec się wielu nawyków, poddać się dyscyplinie.

Długofalowe zmiany w zachowaniu, które są podstawą rozwoju osobistego, wymagają niezależności od samoograniczających uczuć, myśli i oddania się skoncentrowanemu działaniu.

Jeżeli pragniesz osiągnąć rezultaty w zakresie dyscypliny musisz działać w takim porządku: robić, myśleć, czuć.

Wyobraź sobie, że stoisz przed zaczarowaną kryształową kulą. Patrzysz w tę kulę, bo w niej widzisz siebie w nadchodzącej przyszłości. Widzisz się autentycznie takim, jakim chciałbyś być.

Jeśli jesteś sprzedawcą, możesz widzieć siebie zdobywającego cenne nagrody za najlepsze wyniki w sprzedaży. Widzisz podwojone dochody.

Kiedy masz nadwagę możesz widzieć siebie, jako bardzo szczupłą, zgrabną i pełną energii osobę.

Jeżeli szukasz nowej pracy, chcesz się piąć w górę i rozwijać - wyobrażaj sobie, że już to osiągnąłeś.

Gdy pozwolisz, aby umysł Twój tworzył te wyobrażenia i obrazy w kuli kryształowej, zastanów się, jakie są Twoje szanse na osiągnięcie tego wszystkiego. Jeśli już wiesz, możesz przystąpić do działania. Działaj systematycznie, krok po kroku.

Osoba z nadwagą musi ograniczyć swoje posiłki zarówno pod względem ilości, jak i jakości. Co dzień musi odbywać 30-minutowe marsze, itd.

Wszystko musi być objęte wewnętrzną dyscypliną. Na rezultaty nie trzeba będzie długo czekać.

Na pewno oglądałeś horrory Alfreda Hitchcocka, które trzymały Cię w napięciu. Chociaż Twój świadomy umysł przypominał Ci raz za razem, że oglądasz tylko film, to Twoje uczucia były siłą dominującą, zaś krytyczny umysł zajmował drugą pozycję do podświadomego przekazu. Mogłeś podjąć kontrolę uczuć. Mogłeś po prostu wstać, opuścić kino i pójść na dancing.

Potrzebna tu była samodyscyplina i podjęcie wyboru.

Dyscyplina bez osiągnięć jest bólem. Jest to ćwiczenie bezowocności i nieskuteczności.

Dyscyplina połączona z osiągnięciami tworzy magię.

Istnieje stare chińskie powiedzenie: Kiedy słyszę - zapominam. Kiedy widzę - pamiętam. Kiedy doświadczam - rozumiem.

Teraz zacznijcie doświadczać. Chciałbym, abyś w tej chwili zaczął odczuwać lęk. Wywołaj wspomnienia wszystkich tych paraliżujących emocji, jakich doświadczyłeś oglądając horrory. Staraj się spotęgować wywołane uczucie lęku. To jest niesłychanie trudne.

A teraz pomyśl o czymś nieprzyjemnym co wydarzyło się ostatnio. Może była to reprymenda od szefa albo nieporozumienie w domu. Myśl o tej sytuacji, koncentruj się na niej, utrzymuj ją w umyśle. Większość ludzi może tego dokonać, lecz wymaga to dużego wysiłku. Im dłużej koncentrujesz się na tej nieprzyjemnej myśli, tym silniejszy wpływ ma to na Twoje uczucia.

Zrelaksuj się. Zauważysz, że nieprzyjemne myśli zniknęły. Połóż lewą rękę na swojej głowie. Trzymaj ją tam. Jak się czujesz? Jakie były Twoje początkowe myśli, kiedy poleciłem Ci położyć rękę na głowie? Na pewno pomyślałeś: jaki ma to związek z dyscypliną? A może: to jest głupie. Dobrze, możesz zdjąć rękę z głowy bez względu na to co pomyślałeś. Odkryłeś, że było to bardzo łatwe do wykonania. Było to o wiele łatwiejsze niż próba odczuwania lęku albo myślenie o nieprzyjemnym wydarzeniu. Czynności, jakie wykonujemy są najłatwiejszym cyklem osiągania i są pod naszą kontrolą.

Pragnę podzielić się znanym mi przypadkiem, bowiem wyjaśnia on potrzebę kojarzenia dyscypliny z osiągnięciami.

Miałem kolegę, który w wieku 50 lat pracował na rządowej posadzie. Miał rodzinę: żonę i synów w wieku 18 i 20 lat. Żona pracowała w sklepie. Synowie uczyli się. Żyli bardzo wygodnie i dostanio. Wspominam tego kolegę, gdyż uważaliśmy go za szczyt dyscypliny. Co dzień budził się o 5:30 rano. Zakładał dres i przebiegał 7 mil. Zanim rodzina się obudziła był już w domu. Brał prysznic i przygotowywał dla wszystkich śniadanie. O 7:30 wychodził do pracy. Podczas przerwy na lunch szedł do YMCA i podnosił ciężary. O godzinie 4:00 wychodził z biura. Wracał do domu i przygotowywał obiad. Wieczór oglądał programy telewizyjne. Lubił sport. O godzinie 10:00 był zawsze w łóżku.

Mimo wielkiego zdyscyplinowania nie był on szczęśliwy. Martwił się o pieniądze, o własne zdrowie. Obwiniał się za nadmierne angażowanie w prace domowe. Często odwiedzał gabinet psychologa. Narzucał sobie ćwiczenia fizyczne, bo bał się śmierci. Jego ojciec zmarł w młodym wieku.

W jego dyscyplinie brakowało impulsu do działania. Wiele rzeczy wykonywał popychany przez uczucia (lęk, zmartwienia, funkcjonowanie w ograniczonej strefie bezpieczeństwa).

Pomógł mu psycholog. Zaczął dostrzegać w swoich marzeniach realne osiągnięcia. Dokładnie przebadał się u lekarza i dzięki temu pozbył się stresów o zdrowie. Wzmocniło się w nim poczucie wartości.

Postanowił otworzyć własny biznes. Zaczął działać. Jego działania były ukierunkowane i przynosiły efekty, a równocześnie eliminowały lęk i budowały zaufanie. Były ściśle połączone z pozytywnym myśleniem. Wewnętrzna dyscyplina jaką posiadał była mu w tym bardzo pomocna. Teraz kontrolował własne życie przez zdyscyplinowane osiągnięcia.

7. NAJGŁĘBSZE PRZEKONANIA ZAWSZE STAJĄ SIĘ RZECZYWISTOŚCIĄ

Odkryj kim jesteś. Ta prawda na zawsze uczyni Cię wolnym. Najcenniejszą rzeczą jaką posiada człowiek jest **wolność**. Prawdziwa wolność polega na nieprzywiązywaniu się do wszelkich dóbr.

Bardzo piękne są myśli w poniższym zdaniu:

Tylko ten, kto odchodzi z pustymi rękami, będzie mógł pielęgnować róże w wieczności.

Ludzie pragną szczęścia. Często sami nie wiedzą czego szukają. Umierają nie odnajdując go. Jeśli je nawet odnajdą, nie potrafią rozpoznać, bo nie wiedzą czego szukają.

Ludzie, którzy nie robią tego, co sprawia im radość, nie są szczęśliwi.

Sekret szczęścia polega na tym, aby żyć tak, jakby każdy dzień był ostatnim dniem życia. Każdego dnia należy żyć pełnią życia bez straty czasu. Ludzie trwają w przekonaniu czy złudzeniu, że mają przed sobą dużo czasu, co pozwala im ciągle odkładać decyzje. Mówią: mam czas, zrobię to później. Kiedy nadejdzie starość stwierdzają, że jeszcze nie zdołali nic zrobić. Wówczas jest już za późno. Muszą mieć wiele odwagi, żeby zacząć działać natychmiast. Można śmiało użyć znanej sentencji: **"Gdyby młodość wiedziała, gdy starość mogła"**.

Spotykamy wielu ludzi nieustannie roztargnionych. Idą przez życie jak lunatycy. Nie dostrzegają oni rzeczy oraz napotkanych ludzi. Nie żyją teraźniejszością. Prześladują ich własne błędy i niepowodzenia. Ich umysł jest obciążony strachem przed przyszłością.

Aby wyzbyć się tego strachu należy skutecznie wykorzystywać swój umysł. Trzeba zacząć wierzyć w jego moc.

Jeśli wzmocnisz swój umysł, okoliczności nagną się do Twoich pragnień. Zdobędziesz kontrolę nad swoim życiem.

Heraklit niegdyś powiedział: "Charakter jest przeznaczeniem człowieka".

Życie daje nam dokładnie to, czego od niego oczekujemy. Jeżeli w chwili, gdy o coś prosisz jesteś przekonany, że to dostaniesz i jeśli zachowujesz się tak, jakbyś już to otrzymał, wtedy otrzymasz.

Pamiętaj, że najgłębsze przekonania zawsze stają się rzeczywistością. Musisz zaczynać działać z mocnym przekonaniem, że istnieje rozwiązanie Twojego problemu. Siła umysłu i magia celu, do którego podążasz przyniesie rozwiązanie.

Twoje myśli są formami tego co ma przyjść. Każda wyrażona myśl dąży do urzeczywistnienia się. Im silniejszy jest umysł, tym bardziej będziesz świadomy, że nie ma takiej rzeczy, której nie mógłbyś dokonać.

Musisz sobie powtarzać: Mogę zrobić wszystko, nie ma dla mnie rzeczy niemożliwych.

Nie zostawiaj miejsca na wątpliwości. Wątpliwość jest częścią sił ciemności. W Tobie ma być nieustannie duch optymizmu. On należy do królestwa światła i życia.

Ty musisz posiadać **skonkretyzowane cele**, do których nieustannie będziesz zmierzał. Cele muszą być śmiałe, ale w granicach rozsądku. Powinny być ambitne i osiągalne. Stawiane cele zapisuj na papierze. Twórz plan działań i zapisuj terminy.

Cel przeniknąć powinien w pełni do Twojej podświadomości. Nie pozwól, aby sparaliżował Cię strach, który wielu ludziom odciął drogę do realizowania marzeń.

Musisz zacząć działać swoją wyobraźnią. **Wyobraźnia** jest tym, co niektórzy nazywają podświadomością. Jest to ukryta część Twojej świadomości. Jest ona o wiele silniejsza niż część widzialna. Przez lata różne zdania i myśli utrwalają się w podświadomości. Po pewnym czasie te ogromne zasoby pamięci stają się dla człowieka obrazem samego siebie. Ten obraz ma tak wielką siłę, że bezwiednie staje się Twoim przeznaczeniem. W myśl tego, jeśli chcesz stać się bogatszym, musisz stworzyć sobie nowy obraz samego siebie.

Na podświadomość można wpływać dowolnymi sugestiami.

Człowiek jest odbiciem myśli nagromadzonych w podświadomości.

Gdy podświadomość zostanie prawidłowo zaprogramowana, będzie czyniła dla Ciebie cuda. Podświadomość może zapanować nad Tobą, bo jest niezmiernie silna, ale równocześnie ślepa. Musisz nauczyć się ją ujarzmiać. Im gorętsze są Twoje pragnienia, tym szybciej upragniona rzecz pojawia się w Twoim życiu. **Pragnienie musi iść w parze z wiarą.** Musisz wierzyć i mieć przekonanie w realizację tego co pragniesz.

Świat jest odbiciem Twojego "ja". Jeśli nie ma w Tobie słabości ani czegoś co przyciągałoby do Ciebie problemy lub zło, wówczas ani zło, ani żadne niebezpieczeństwo nie dosięgną Ciebie. Znaczącą rolę odgrywa tu koncentracja umysłu. Gdy Twój umysł poprzez ćwiczenia koncentracji stanie się dostatecznie pewny siebie i silny, dojdziesz do wniosku, że problemy życiowe nie będą już miały władzy nad Tobą.

Problem jest problemem tylko wówczas, gdy myślisz, że nim jest. Im silniejszy będzie Twój umysł, tym mniej istotne będą Ci się wydawały problemy. **Koncentracja jest kluczem do sukcesu we wszystkich dziedzinach Twojego życia.**

Często przy podejmowaniu decyzji nękają Cię różne wątpliwości. Najlepszym sposobem na pozbycie się ich jest autosugestia i powtarzanie myśli przeciwnych. Twoje słowa powinny stać się władczym rozkazem. Gdy Twój umysł stanie się dostatecznie silny, każde słowo będzie rozkazem. Twoje słowa i rzeczywistość staną się jednością, a czas potrzebny na wykonanie Twoich poleceń będzie się stawał coraz krótszy, aż w końcu te rozkazy będą spełniane natychmiast.

Musisz nauczyć się naprawdę doskonale panować nad sobą, nad swoimi myślami. Nie możesz dopuszczać myśli, które mogą ranić innych.

Musisz zdobyć umiejętność myślenia wyłącznie pozytywnego o dobru innych, tak, aby siła Twoich słów nie obróciła się przeciwko Tobie.

Słowa mają nadzwyczajną moc. Im silniejszy staje się Twój charakter, tym bardziej wypowiadane słowa nabierają mocy rozporządzającej.

Wszystko na co się zdecydujesz, podsycane głębokim wewnętrznym przekonaniem i wzmacniane przez powtarzanie będzie realizowało się szybciej.

Powtarzanie ma moc. Każdy podlega mu przez całe życie. Jesteśmy poddawani wpływom sugestii wewnętrznych i zewnętrznych. Technikę powtarzania nazywamy autosugestią. Często rozmawiasz sam ze sobą. Może mówisz: Ja tego nigdy nie zrobię. Jest to wszystko ponad moje siły. To jest nie do przezwyciężenia. Nie powtarzaj zdań negatywnych. Koncentruj się tylko na rzeczach pozytywnych. Osiąganie wiary polega na powtarzaniu słów, które są afirmacjami. Autosugestia odgrywa bardzo ważną rolę w życiu. Na początku może wydać Ci się trudna. Jeśli z niej będziesz korzystał, cała jej ogromna siła będzie do Twojej dyspozycji. Powtarzaj sobie kilka razy dziennie afirmację: **Z każdym dniem, pod każdym względem staję się lepszy i lepszy.**

Nie bój się podejmowania decyzji nawet ryzykownych. Bądź przekonany, że na drodze do sukcesu możesz spotkać porażki. Każda jedna nieudana próba będzie krokiem do przodu po zwycięstwo. Działaj od zaraz. Nie trać czasu. Idź śmiało po sukces.

Na co padłby Twój wybór, gdyby spytano Cię co chciałbyś, aby Ci się spełniło?

Milion dolarów? Doskonałe zdrowie? Magiczne rozwiązanie kłopotów biznesowych? Kochającą, oddaną rodzinę? Przywilej podróżowania nad szczytami gór w jasnym słońcu? A może ucieczkę od bolączek życia, które są normalną codziennością?

Jaki dar byłby bardziej wart Ciebie, aby spełniły się Twoje marzenia? Istnieje on w Twoim zasięgu. Możesz ten dar ofiarować sobie. Przyniesie Ci on wszystko to, do czego skrycie tęsknisz. On oczyści twardą drogę przed Tobą i pozwoli Ci stąpać po ścieżce do prawdziwego szczęścia. Tym darem jest **odwaga.**

Odwaga zmienia oblicze wszystkiego. Zmienia rzeczy na lepsze. Czasami potrzeba nam odwagi, aby zamilknąć, kiedy słowa przychodzą do umysłu. Innym razem trzeba nam odwagi, aby wyrwać się z ciepłego łóżka w deszczowy poranek i pójść do pracy. Często brakuje nam jej, aby spojrzeć prawdzie w oczy albo prawdę powiedzieć bezpośrednio komuś bliskiemu.

Odwagi brakuje nam w wielu momentach życia, szczególnie tam, gdzie występuje działanie.

8. NAGRODY - OWOCEM DZIAŁAŃ

Trudno byłoby znaleźć człowieka, który nie lubi być nagradzany. Jest to przecież ogromna przyjemność. Nagrody w życiu zawsze są w prostej proporcji do naszego wkładu. Jest to prawo podtrzymujące struktury ekonomiczne i nasz osobisty dobrobyt.

Są jednak tacy, którzy o tym prawie nie wiedzą albo też zapominają. Bywają ludzie, którzy myślą, że ono odnosi się do wszystkich, ale nie do nich.

Większość ludzi jest przekonana o potrzebie stawiania znaków drogowych ograniczających szybkość, ale stwierdzają, że powinny się one odnosić tylko do tych osób, które nie potrafią prowadzić samochodu tak dobrze jak oni.

Prawo: **nagroda równa się wkładowi**, działa zawsze bez względu na to czy się mu podporządkowujemy, czy nie.

Wyobraź sobie wagę aptekarską z poprzecznym ramieniem na górze i zwisającymi po obydwu stronach szalkami. Waga ta ma bardzo delikatny i dokładny mechanizm. Na jednej szalce połóż "nagrody", na drugiej zaś "wkłady". Na której z nich będziesz się bardziej koncentrował? Większość ludzi będzie zainteresowanych "nagrodami". Jest to błąd. Bez wkładu pracy nie osiągniesz nagród. Szalki muszą się równoważyć, a nawet "wkłady" powinny przewyższać "nagrody".

Co rozumiemy przez "wkłady"? Wkład jest to czas, jaki poświęcamy temu co robimy, połączony z dużą perfekcją.

Ludzie oczekują nagród za dobrą pracę i działanie. Nie zawsze nagrody te są dla nich zadawalające. Jeśli odnosi się takie wrażenie należy dokładnie przyjrzeć się swoim wkładom i ocenić je.

Każdy dorosły człowiek powinien pytać siebie co daje tym, z którymi jest w kontaktacie. Czy wyczerpuje wszystkie swoje możliwości? Czy jego codzienne życie przebiega poniżej, czy powyżej przeciętnego poziomu? Czy jest on zadowolony z tego co robi? Jakie zatem osiąga rezultaty? Jeśli na pytania te uzyska pozytywne odpowiedzi, to będzie znaczyło, że daje z siebie wiele. Wkład pracy i działania powinny być duże. Człowiek taki może oczekiwać nagrody.

Od czasu do czasu potrzebujemy przypominania o rzeczach, w

które wierzymy, że są dla nas bardzo znaczące. Przypominanie sobie tej osobistej filozofii pomaga osiągać szczęśliwość i pomyślność.

W wirze codziennych spraw, w ciągłym pośpiechu zapominamy o prawdach, które niezbędne są nam do budowania wartościowego życia. Nie przypominając tych rzeczy prowadzimy do zatarcia, a następnie całkowitego zaniku tak ważnych prawd i zasad.

Życie człowieka można porównać do działki ziemi koło domu. Na działce siejesz, sadzisz, a następnie troskliwie pielęgnujesz. W jesieni zbierasz owoce swojej pracy. Cieszą Cię dorodne zbiory, bo włożyłeś w nie dużo serca, uwagi, czasu.

Podobnie jest z naszym życiem. Ciągle musisz mu poświęcać wiele uwagi, pielęgnować to co w nie posiałeś. Troszczyć się o rozwój i wzrost tego co jest w Tobie. To owocuje w postaci wyników Twoich decyzji i działań. Widzisz, odczuwasz konkretne efekty. Stanowią one często oczekiwaną nagrodę. Nagroda ta jest adekwatna do Twojego wysiłku, do wkładu, do tego co zainwestowałeś.

Nie koncentruj się nigdy tylko na szalce z nagrodami, abyś nie był podobny do człowieka, który siedział zimą przy piecu i mówił do niego: Daj mi ciepło, a ja ci dam drzewo.

Każde wielkie prawo życia jest podobne do monety. Posiada dwie strony. Jeśli współpracujesz z tymi prawami po obydwu stronach, będziesz czerpał korzyści i nagrody. W przypadku, gdy zadziałasz niezgodnie, nie będziesz mógł myśleć o zwycięstwie.

9. WARTOŚĆ OSOBISTEGO MARKETINGU

Co oznacza słowo marketing?

Marketing - wyższa szkoła handlu, polegająca na dbałości o jakość i opakowanie produktu, badaniu i kształtowaniu rynku, na analizie psychologii konsumenta i umiejętności wpływania na niego, na budzeniu potrzeb społecznych i reklamie; wszystkie dziedziny działalności przedsiębiorstwa mające na celu stworzenie i odkrycie potrzeb konsumentów, zaspokojeniu tych potrzeb towarami i usługami, które mogą konkurować na rynku, zapewniając sprzedaż ciągłą oraz rentowność przedsiębiorstwa.

Jeżeli ciężko pracujesz, a podwyżki i awanse nie przychodzą do Ciebie, to prawdopodobnie nie robisz właściwego marketingu swojej osoby.

Naucz się tej umiejętności, ona będzie Ci pomocna w życiu. Zauważyłeś na pewno, że w Twojej firmie są ludzie, którzy przy wielu okazjach otrzymują podwyżki, słowa uznania od szefów, promocje. Ale są i tacy, którzy harują ciężko przez lata i nie są zauważani ani też doceniani. Myślisz wówczas, że jedni mają szczęście, drudzy nie.

Napoleon wierzył i twierdził, że szczęście nie zawodzi ludzi, lecz ludzie zawodzą szczęście, bo nie umieją go w odpowiedni sposób wykorzystać.

Nie można oskarżać firmy, że jest zła, bo ma niesprawiedliwych szefów, choć i to się czasami zdarza. Jest to usprawiedliwienie samego siebie.

Prawdą jest, że tylko ciężką pracą dochodzimy do sukcesów, ale nie jest to jedyny składnik warunkujący sukces.

Jednym z nich jest właśnie marketing. **Musimy umieć sprzedawać, reklamować samego siebie, swoje zdolności, umiejętności, siłę, pomysły, itd.**

Tak, jak sprzedaż pasty do zębów czy samochodów przy pomocy ogłoszeń, tak nasze promocje w pracy uzależnione są od tego, jak sami reklamujemy swoje umiejętności, wiedzę, doświadczenia przed przełożonymi i współpracownikami.

Ale zanim zaczniesz sprzedawać siebie i zechcesz, aby inni przekonali się o Twoich wartościach, musisz sam się docenić. Wówczas inni zobaczą w Tobie to, co Ty sam dostrzegasz. Będą akceptować Twoją ocenę.

Częstym problemem dla naszej psychiki jest niesiony bagaż negatywnych, emocjonalnych obciążeń ukształtowanych w dzieciństwie. Powstał on w wyniku krytyk, zakazów, nakazów rodziców, nauczycieli, wychowawców, itd.

Wszyscy w dzieciństwie zostaliśmy w pewnym stopniu zaprogramowani tak, jakby ktoś włożył do naszego umysłu dyskietkę komputerową. Jest sposób, aby program ten wymazać z pamięci. Trzeba odrzucić wszystkie negatywne wyobrażenia o sobie, złe nawyki, przyzwyczajenia, a przede wszystkim nie uprzedzać się i nigdy nie mówić: "Ja tego nie mogę. Ja tego nie potrafię". Jak możesz mówić, że czegoś nie potrafisz zrobić, jeśli nawet nie popróbowałeś własnych sił.

W ten sam sposób w jaki dokonujemy przeprogramowania komputera, możemy dokonać zmian we własnym umyśle. Należy tylko wszystkie rzeczy negatywne zamienić na pozytywne przekonania. Trzeba też dokonać rewizji ważności obecnych przekonań dotyczących własnej osoby.

Rozpocznij pracę nad samym sobą. Przed rozpoczęciem trudnego zadania mów sobie, że wykonasz je z łatwością, że to co robisz jest wspaniałe.

Wykonuj te rzeczy do których brak Ci pewności. Na przykład: jeśli masz tremę przed wystąpieniami publicznymi, zacznij przemawiać przed lustrem, następnie idź na obiad z kolegami i mów do nich odważnie, włączaj się w dyskusję. Później próbuj swoich sił w pracy przed małym audytorium. Myślę, że po takich ćwiczeniach śmiało staniesz przed większą publicznością.

Nabierz zaufania do siebie, wówczas inni zaczną Cię nim obdarzać.

Eksperci twierdzą, że dla osiągnięcia sukcesów korzystne jest włączenie się do współpracy z innymi. Ważne jest to co umiesz, ale także i to, kogo znasz. Rzeczoznawcy oceniają, że 75% pozycji zawodowych obsadzanych jest w wyniku powiązań sieciowych.

Ludzie, którzy nastawieni są na robienie kariery powinni nawiązywać kontakty z osobami zajmującymi podobne im stanowiska, jak i będącymi na stanowiskach kierowniczych. Wskazane jest, aby kontakty te były na płaszczyźnie różnych branż przemysłu, biznesu, organizacji, klubów, itd.

Nawiązane znajomości trzeba podtrzymywać poprzez rozmowy telefoniczne dotyczące pracy, jak również spotkania towarzyskie. Pozwala to na utrwalenie naszych sylwetek w pamięci innych. Bardzo ważną zasadą jest sprawa odpowiadania na telefony. Jeśli sam nie możesz tego uczynić, poproś bliskiego współpracownika, aby to zrobił w Twoim imieniu. W przeciwnym razie zamykasz sobie drzwi do człowieka, na którym może Ci bardzo zależeć. Przełożeni kontrolują naszą pracę, instruują nas i kierują nami. Pracownicy, którzy odnoszą sukces, radzą sobie doskonale ze swoimi szefami. Wiedzą oni czym interesuje się przełożony, co szczególnie ceni, jakie ma upodobania i wymagania w stosunku do wykonywanej przez podwładnych pracy.

Wielu ludzi jest głęboko przekonanych, że praca ich jest na wysokim poziomie, a tymczasem przełożony tego nie dostrzega, nie docenia wysiłków i osiągnięć. Może to być wynikiem małej orientacji dotyczącej wkładu Twojej pracy, ulepszeń, udoskonaleń. Wówczas w bardzo delikatny sposób możesz zasygnalizować o swoich innowacjach. Powinieneś bliżej poznać przełożonego, jego oczekiwania i co konkretnego spodziewa się lub chce widzieć w Twojej pracy.

Nie poprzestawaj na wykonywaniu swoich obowiązków ściśle w ramach dla Ciebie określonych. Zrób coś więcej.

Często ludzie lękają się rozmowy ze swoim kierownikiem. Ogranicza kontakty tylko do oficjalnych spotkań wynikających z okresowych sprawozdań czy omówień postępów. Nie wolno bać się rozmów, wręcz przeciwnie, trzeba zadawać pytania celem uzyskania wskazówek, wyjaśnień, które pozwolą Ci doskonalić się zawodowo. Pytaj szefa co możesz zrobić, aby Twoja praca była lepsza. W ten sposób zyskujesz uznanie w oczach przełożonego. On Cię zapamiętywuje jako pracownika, który dba o dobro firmy.

Do zdobywania sobie uznania szefa równie ważny jest kontakt z kolegami w pracy, umiejętność współżycia, wzajemnej pomocy. **Istotną sprawą jest współdziałanie z tymi, z którymi pracujesz i od których możesz uzyskać pomoc i uznanie.** Ale, aby to nastąpiło często trzeba zacząć od pomocy innym, od czynienia usług, wymiany doświadczeń.

W osiąganiu sukcesu osobistego marketingu potrzebna jest umiejętność demonstrowania swoim zwierzchnikom tego co robisz oraz tego, co możesz dokonać dla firmy, a więc własnych zdolności, umiejętności i inicjatywy.

W obecnej dobie, każdy zakład jest zainteresowany tym, w jaki sposób podnosi się jakość produkcji i rentowność przedsiębiorstwa.

Kiedy usiądziesz do rozmowy z szefem pamiętaj o tym, aby:
-Podkreślać wartości organizacyjne zakładu, a nigdy własne.

-Koncentrować się na tym co zrobiłeś dla firmy, a nie na tym co przedsiębiorstwo zrobiło dla Ciebie.

-Być konkretnym w zakresie własnych osiągnięć. Mieć listę problemów jakie udało Ci się rozpracować i rezultatów wynikających z tego.

Im przedstawione problemy będą trudniejsze, tym będzie to korzystniejsze dla Ciebie.

Zapamiętaj, że jeśli czujesz wewnętrzenie, że nie jesteś doceniany za wkład pracy i masz żal o to do przełożonych, nigdy nie napadaj na szefa z pretensjami i nie wylewaj własnej żółci, bo może się to okazać wręcz nieskuteczne.

Staraj się tak pracować, abyś został zauważony i doceniony, a ponadto zwracaj się do zwierzchników o radę, pomoc, wyjaśnienie w tych kwestiach, w których czujesz, że się wyróżniasz.

Promowanie własnej osoby jest autentycznym sprzedawaniem siebie, stąd pomocne będą tu techniki kupieckie , handlowe.

Zarówno to czy sprzedajesz samochody, czy samego siebie dla awansu, musisz znaleźć wspólny język z człowiekiem, z którym masz do czynienia. Wydawać Ci się może, że nic Cię nie łączy z tą osobą (kupujący, szef) i nie będziesz miał tematu do rozmowy. To nieprawda. Można dyskutować o dzieciach, rodzinie, na temat hobby. Nie zaczynaj nigdy rozmowy od sportu lub pogody, bo możesz zrobić na rozmówcy wrażenie człowieka nieszczerego.

Przyjmowanie krytyki z uśmiechem i pogodą ducha - to bardzo duża umiejętność. Ma ona ogromne znaczenie w pracy zawodowej, życiu prywatnym, rodzinnym, itp.

Dobry sprzedawca nigdy nie okazuje zdenerwowania z powodu

krytyki wyrażanej przez klienta. Przeciwnie, oświadcza, że docenia uwagi i przekaże je przełożonym.

Podobnie, kiedy usłyszysz słowa krytyki od swojego szefa, wysłuchaj ich ze spokojem i skwituj powiedzeniem: "Wysoko sobie cenię to co pan mi powiedział" albo "Doceniam pana uwagi". Oznacza to, że nie musisz się zgadzać z tą krytyką, ale nie ograniczasz szefa w prawie wypowiadania sądów o Twojej pracy.

Nigdy nie wolno okazywać w takich sytuacjach wrogości, zdenerwowania, gdyż spowoduje to taką samą reakcję przeciwnika. **Zgoda, spokojne wysłuchanie krytyki daje jasny obraz, że respektujesz prawo drugiej osoby do krytykowania.** Ale w momencie wysłuchania krytycznych uwag izoluj się i zamykaj.

Stawiaj śmiało pytania, które pozwolą wyjaśnić co spowodowało niezadowolenie, w czym zawiniłeś, czego od Ciebie oczekiwano. To pozwoli zlikwidować niedomówienia, a nawet nieporozumienia.

Kiedy upewnisz się, że wszystkie problemy zostały omówione, a nawet uzgodniony plan dalszego działania w celu uniknięcia powtórzenia błędów, kończ rozmowę.

Na koniec chcę podać dwie rady na to, abyś był zauważony przez przełożonych.

Podnoś swoje kwalifikacje zawodowe na bieżąco i bądź elastyczny wobec zmieniających się wymagań firmy. Poprzez nowe wiadomości przyczyniać się będziesz do rozwoju przedsiębiorstwa stosując poznane innowacje. Wiedza zdobyta w latach 70-tych może być zupełnie lub częściowo przestarzała w obecnej chwili. Musisz iść wraz z postępem, nie zostawać w martwym punkcie.

Elastyczność jest bardzo przydatna. Jest ona ciągle żywotna. Każdy powinien umieć zadecydować za siebie, ile jest gotów zainwestować w swoją karierę oraz umieć ocenić czy osiągnięty sukces przyniesie oczekiwane korzyści.

10. STARE PRZEMIJA, A NOWE SIĘ RODZI

Każdy człowiek gorąco pragnie oderwać się od przeszłości, żyć chwilą obecną i dążyć do jutra.

Dynamiczna zmiana jest aktywnym i mocnym ustaleniem nowego kierunku, pełnego siły i energii. Jest to budowanie lepszej i jaśniejszej przyszłości.

Wyrwanie się z rutyny i uwolnienie się od starych sztywnych wzorów, negatywnych uzależnień i nawyków, których dawno należałoby się pozbyć powinno być Twoim celem. Wzniesienie się ponad wszystko co uważasz za zmarłą przeszłość czy też bezowocną teraźniejszość, uwolni Cię od obciążeń. Staniesz się wolnym człowiekiem.

Zjawisko to może nastąpić na płaszczyźnie fizycznej, umysłowej lub duchowej albo może zaistnieć równocześnie na wszystkich tych poziomach.

Ludzie często kurczowo trzymają się istniejącego stanu rzeczy, bo do tego są przyzwyczajeni. Szukają zadowolenia i bezpieczeństwa w starych nawykach, mimo że z nich wyrośli. W momencie, gdy te przyzwyczajenia, nawyki przynoszą uczucie niezadowolenia, a nawet stają się dokuczliwe, wówczas zaczyna się coś zmieniać w życiu człowieka. Zmiany mogą następować stopniowo albo też pojawią się gwałtownie.

Może i u Ciebie zaistniało kiedyś uczucie bólu spowodowane wybuchem kryzysu i nastąpiły radykalne zmiany.

Jest to bardzo ważny okres. Zaczynasz szukać odpowiedzi na własne problemy. Słuchasz cichego głosu wewnętrznego, który przekazuje Ci rady, daje wskazówki.

To jest Twój punkt zwrotny na dokonujące się zmiany, na wzrost potencjału osobistego, na nowe osiągnięcia i wewnętrzne przemiany. Jest to odrodzenie samego siebie.

Zmiany są konieczne bez nich trudno byłoby Ci żyć i funkcjonować. Poprzez zmiany uczysz się tworzyć Twoje jutro, najpierw swoich myśli, a następnie działań.

Jeżeli to co robisz teraz nie przynosi Ci oczekiwanych efektów, postanów działać inaczej. Nie stój długo na skrzyżowaniu drogi zastanawiając się, w którym kierunku się udać. Podejmij decyzję i idź dynamicznym krokiem do przodu. Śmiało omijaj przeszkody na swojej drodze. Mocno bądź przekonany, że niebawem dojdziesz do celu. Im wędrówka będzie trudniejsza, tym osiągnięty cel będzie wartościowszy.

Każda zmiana jest tym, co pozwala naszemu życiu iść naprzód, rozwijać się i dawać owoce.

Życie nie jest statyczne. Zmiany dokonują się wszędzie. Dostrzec je można we wszystkich dziedzinach życia człowieka. Dokonują się w naszych środowiskach lokalnych, stanowych, narodowych i światowych.

Całe Twoje życie podlega stałym cyklom narodzin, śmierci i odradzania w nowych, doskonalszych formach. Stare przemija, a nowe się rodzi.

Dynamiczne zmiany zachodzą również w rodzinach, w edukacji, rehabilitacji, religiach, rządach, łączności, technice, wyżywieniu, programowaniu przestrzennym, itd.

Z uwagi na ekonomikę i zmiany w świadomości ludzi rozpoczęły się obecnie poszukiwania we wnętrzu przestrzeni. Te poszukiwania trwają w przestworzach i oceanach, również we wnętrzu człowieka. Ludzie z pasją odkrywają samego siebie. Wewnętrzna rzeczywistość wzbudziła mocne zainteresowania. Nasz umysł stał się centrum dnia dzisiejszego i budowniczym jutra. Jest on największym naturalnym bogactwem człowieka. Musi być wykorzystywany do maksymalnych granic.

Studiując szczytowe osiągnięcia w różnych dziedzinach nauki i techniki stwierdzamy, że ogromną wartość mają słowa zawarte w tym zdaniu: **Być mistrzem, oznacza myśleć jak mistrz.**

Każdy musi dążyć do swojego mistrzostwa, bo dzięki niemu na nowo się odrodzi.

11. NASTĘPSTWA DEZAKTUALIZACJI WIEDZY

Głównym problemem w biznesie i przemyśle bywa niezdolność do podążania za duchem czasu przez osoby zarządzające. **Braki z zakresu nowych wiadomości, przestarzałe myślenie, powodują**

obniżenie wartości zakładu. Często staje się to powodem nieporozumień między zwierzchnikiem a pracownikami. Opóźniają rozwój i powodzenie firmy. Grupa naczelnych dyrektorów biznesu obradująca w Northwestern University w Chicago stwierdziła, że ludzka dezaktualizacja jest głównym problemem w biznesie i przemyśle. Podobnie dzieje się w technice, lecz tu szybko następują zmiany. Gorzej jest z człowiekiem. Nie jest to głównie sprawa wieku. Dezaktualizacja wiedzy może następować zarówno u czterdziestolatka, jak i u pięćdziesięcioletniej osoby, jeśli pozostaje się w miejscu, a nie kroczy równocześnie z duchem postępu i zmian.

Ten sam problem można odnieść do par małżeńskich, do rodziców.

W wyniku dezaktualizacji wiedzy, u osób na stanowiskach kierowniczych, pojawiają się:

1. Brak elastyczności.

Dyrektor taki jest bardzo sztywny w swoich przekonaniach, opiniach. Jest skostniały. Upiera się, aby wykonywano wszystko zgodnie z jego myśleniem.

2. Negatywna postawa.

Dyrektor o negatywnej postawie żyje i pracuje w defensywie i przez to jest bity. Traci na tym zakład, jak również i pracownicy. Wszyscy stają na pozycji przegranej.

3. Nadmierny cynizm i egoizm.

4. Stagnacja w dokształcaniu, całkowity zastój.

Kiedy dyrektor przestaje się uczyć, pogłębiać wiedzę, a do tego jest pewien, że wszystko już wie i umie, staje się to niebezpieczne. Takiego człowieka należy jak najszybciej zdjąć ze stanowiska, aby nie wyrządzał szkód dla przedsiębiorstwa i nie blokował drogi do postępu oraz rozwoju zakładu.

5. Zawężenie zainteresowań.

Może to spowodować obniżenie jakości produkcji i osłabienie kontaktów z załogą.

6. Brak decyzji.

Dyrektor traci wiarę w siebie, w zdolności podejmowania decyzji cieszącej się popularnością wśród pracowników.

7. Zbytnia wrażliwość i niepewność.

Dyrektor wrażliwy reaguje często niewłaściwie na powstające sytuacje. Odbiera z rozdrażnieniem każdą informację. Staje się niepewny. Drży o swoje stanowisko. Boi się konkurencji. Nie może sprawnie i spokojnie pracować, a tym samym dobrze kierować firmą.

8. Alkoholizm.

9. Realizowanie tylko decyzji spływających odgórnie.

Przełożony taki boi się podejmowania własnych decyzji, boi się odpowiedzialności. Powoduje często opóźnienie pracy przedsiębiorstwa.

10. Zaniedbywanie się w kontaktach z podwładnymi.

11. Brak koncepcji w planowaniu perspektywicznym.

Bez planowania na przyszłość firma będzie pozostawała ciągle w tym samym miejscu. Planowanie podejmuje człowiek, który permanentnie rozszerza horyzonty swojej wiedzy, myślenia i kroczy z duchem postępu.

Przypomnij sobie czy nie wypowiadasz czasem tego typu stwierdzenia: "To zwykle robiliśmy w ten sposób". Zastanów się nad tym zdaniem. To co kiedyś było doskonałe, teraz może okazać się przestarzałe. Nie patrz w przeszłość. Jeśli chcesz pozostać ciągle młodym, musisz zawsze spoglądać w kierunku przyszłości.

12. CO POMAGA W PRACY NA STANOWISKACH KIEROWNICZYCH

1. Słuchaj często i tak dużo na ile pozwala Ci czas, co mówią inni. Wyłącz uprzedzenia osobiste i chęci wydawania sądów.

2. Nie obmawiaj nikogo ani też nie stosuj kar za stawiane Ci pytania. Jeśli będziesz obmawiał, stracą do Ciebie zaufanie. Kiedy zaczniesz karać w jakikolwiek sposób ludzie przestaną Cię pytać, będą unikali kontaktów z Tobą. Będą działali bez wystarczających informacji co szybko odbije się na jakości pracy.

3. Często i bardzo szczerze stosuj pochwały. Dostrzegaj i podkreślaj to co dobre w pracy swoich podwładnych. Z entuzjazmem odnoś się do nowych pomysłów i decyzji pracowników. Doceniaj wysiłek ludzi gratulując im publicznie przy każdej okazji.

4. Nie krytykuj i nie gań pracownika wobec innych. Jeśli uważasz, że należy zwrócić uwagę za nieodpowiednie wywiązywanie się z obowiązków, za złą jakość pracy, uczyń to ze spokojem i sam na sam z osobą zainteresowaną.

Ludzie chętniej i ze zrozumieniem odbiorą Twoje wskazówki, uwagi, kiedy powiesz im to bez nerwów, prywatnie. Zdobędziesz sobie ich wdzięczność. Nic tak nie rani i nie niszczy poczucia godności jak publiczna nagana.

5. Zachęcaj pracowników do śmiałych wypowiedzi i przedstawiania własnych pomysłów. Wysłuchaj ich uważnie, nawet wówczas, gdybyś się z nimi nie zgadzał. Traktuj wypowiedzi z taką uprzejmością i respektem z jakim sam chciałbyś być wysłuchiwany. Oczekuj od ludzi wysokich wyników w pracy i mów im o tym.

6. Bądź stanowczy i sprawiedliwy. Jak długo mówisz rozsądnie, stanowczo i nie zmieniasz decyzji, tak długo ludzie doceniają Twoje zasady i szanują je.

Nie wydawaj niepotrzebnych zarządzeń, poleceń, które mogą obniżać Twoją wartość w oczach pracowników.

7. Czas wolny, zajęcia rekreacyjne powinny być przyjemnością dla wszystkich. Jeśli firma organizuje jakiekolwiek imprezy uczestnicz w nich czynnie. Pokaż przy tej okazji swojej rodzinie miejsce pracy, warunki w jakich pracujesz.

8. Nie miej obaw i dziel się swoimi niepokojami z innymi.

Jeśli chcesz być wartościowym kierownikiem grupy ludzi nie możesz mieć przed nimi obaw w ujawnianiu swojej słabości, lęku czy niepokoju. Ujawnienie tego pomoże wspólnie podjąć mądrą decyzję, znaleźć dobre rozwiązanie problemu. Uchroni Cię to przed wystawieniem siebie czy firmy na niebezpieczeństwo. Znajdziesz uznanie w oczach pracowników.

9. Koncentruj swoją uwagę kierowniczą na pozytywnych nawykach i umiejętnościach swoich pracowników, nigdy nie doszukuj się błędów. Własną pozytywną postawą, zachowaniem, głęboką wiedzą oddziaływuj na współpracowników.

13. NOWE SPOJRZENIE NA CEL EDUKACJI

Każdego dnia bombardowani jesteśmy milionami słów druku i środków elektronicznego przekazu.

Zdobywamy nowe informacje, bogacimy nasz zasób wiedzy. Potrzebujemy doskonałej metody, która pozwoliłaby na wybiórczość tego co najistotniejsze, najwartościowsze i prawdziwe.

Warto więc zastanowić się nad tym jakie powinny być cele edukacji. Przedstawiam wypowiedzi profesora S. I. Hayakawy, który proponuje pięć celów edukacji. Cele te są uniwersalne, czyli mają zastosowanie dla każdego.

Cel I - Nauczyć się rozumieć, wysoko cenić i **dbać o naturalny świat**, w którym żyjemy.

Większość ludzi idzie przez świat nie zauważając jego uroków. Nie dostrzegają tego co się wokół dzieje. Nie widzą pięknej przyrody. Nie rozumieją wzajemnych powiązań między klimatem, roślinnością, zwierzętami i ludźmi.

Cywilizowany człowiek winien wiedzieć nie tylko jakie jest jego

41

środowisko, ale także umieć je utrzymać w takim stanie, aby można w nim było spokojnie i zdrowo żyć oraz mieszkać.

Cel II - Posiąść umiejętność współżycia z mieszkańcami naszej Planety, zrozumieć ich i doceniać. Każde dziecko powinno posiadać wiadomości o ludziach, ich rasach, o bogactwie i różnorodności kultur świata, o historii powstania ludzkości oraz poszczególnych narodów.

Musi nauczyć się, że na świecie żyje wiele milionów ludzi, którzy są podobni lub różnią się od niego w zakresie zwyczajów, tradycji, nawyków, idei, itd. Różnicę tą musi przyjąć jako wyzwanie dla jego zdolności zrozumienia, nie zaś, jako okazję do niepokojów czy wrogości.

Cel III - W życiu każdego ucznia musi być miejsce i czas na **doświadczenia estetyczne**.

Profesor Hayakawa pisze, że włączyłby w proces edukacji religię i spirytualizm z elementami estetycznymi. Doświadczenia estetyczne, to głównie poszukiwanie głębokich uczuć, przeżywanie ich, a także tworzenie stałego porządku w naszym efektywnym życiu.

To co postrzegamy i przeżywamy ma wielkie znaczenie, ale stanowi prywatność każdej jednostki.

Powinniśmy część swojego czasu przeznaczać na samotną kontemplację nad otaczającym nas środowiskiem, nad jego bogactwem, pięknem, a przede wszystkim skoncentrować się na trwałym i doskonałym porządku panującym we wszechświecie. Przez to będziemy wzbogacali się duchowo i oddziaływali pozytywnie na innych ludzi.

Cel IV - Każdy w odpowiednim dla niego czasie powinem być zdolny do **zarobienia pieniędzy na własne życie**. Oczywiście przygotowanie do tego należy posiąść w szkole.

Musimy odczuwać, że praca którą wykonujemy oraz świadczone usługi są ważne. Ci, którzy nigdy nie próbowali sprawdzić, na ile są użyteczni, wiele tracą i są w niekorzystnej sytuacji, ponieważ praca jest podstawą naszego bytu. Jeśli czujemy się ważni i zadowoleni z tego co wykonujemy efekty są znaczne.

Nasz system edukacyjny za mało miejsca przeznacza na pracę, stosunek do niej, do człowkieka, który ją wykonuje.

Często powstają nieporozumienia przy selekcji młodych ludzi na studia. Kandydatów z małymi talentami kieruje się do szkół z programami zawodowymi. Zdolniejsi idą na studia akademickie. Nasuwa się pytanie, czy zdolny człowiek nie powinien zdobyć dobrego zawodu i rzetelnie go wykonywać?

Takie podejście jest niesprawiedliwe i krzywdzące dla obydwu grup - akademicko tępych i akademicko doskonałych.

Pomiędzy światem akademickim, a światem pracy powinien być utrzymany ścisły związek i to już w szkołach średnich, a później na wyższych uczelniach.

Cel V - Edukacja musi iść w kierunku intelektualnego rozwoju dzieci i młodzieży. Również nie powinno zabraknąć w niej **rozwijania krytycyzmu** do samego siebie i do otoczenia. Dzięki temu młody człowiek wchodzący w życie będzie odpowiednio przygotowany na odbiór tego co dobre, na wybiórczość rzeczy najlepszych. Będzie umiał decydować komu wierzyć i w jakim stopniu.

14. PODEJMOWANIE DECYZJI

W ciągu całego życia zmuszeni jesteśmy do podejmowania przeróżnych decyzji mniej lub więcej ważnych.

Wiele fortun było zaprzepaszczonych, a świetne szanse nie zostały wykorzystane. Okazje do osiągnięcia szczęścia przemykały nam przed oczami, pozostawiając w naszych umysłach niepokój. Wszystko to wynikło z nieumiejętności podjęcia decyzji w odpowiedniej do tego chwili.

Wiele decyzji wiąże się z ryzykiem, obawami i lękiem. Mogą one jednak mieć zasadniczy wpływ na bieg naszego życia. Boimy się zrobić błędny krok, ruch lub wypowiedzieć niewłaściwe zdanie. Często odkładamy też z tego powodu podjęcie decyzji na później. To opóźnia działanie. Wiemy, że sytuacja w danym momencie nigdy nie zdarzy się w takiej samej formie po raz drugi.

Często miewamy przeczucia, przebłyski intuicji dotyczące podjęcia decyzji. To nic innego jak działanie, lecz nie urzeczywistniliśmy go, bo powstało zablokowanie umysłu.

Istnieją dwa główne problemy, które utrudniają nam akceptację i wewnętrzne przewodnictwo naszej intuicji. Dość często zachowujemy się jak dziecko w sklepie z zabawkami. Chwytamy jedną rzecz, ale po chwili odrzucamy ją, bo dostrzegliśmy coś innego, coś co nam się lepiej podoba. **Potrzebne jest ustalenie kursu i przygotowanie planu działania.** Bywa, że posiadamy zły nawyk dotyczący rzucania rozpoczętej rzeczy. Nie potrafimy się skoncentrować, zmobilizować i doprowadzić do finału działania przez nas podjętego. I to jest właśnie wielki problem. Naucz się doprowadzać do końca to,co zacząłeś. Odrzucaj wszelkie obawy, niepewność, pokonuj trudności. Zatrzymując się na środku drogi narażasz się na niebezpieczeństwo. Możesz być potrącony przez pojazdy. Robiąc zaś przerwę w połowie rozpoczętego działania możesz bardzo wiele stracić. Nigdy nie dowiesz się jaki będzie końcowy rezultat Twojego wysiłku.

Podam sprawdzoną w życiu technikę podejmowania decyzji.

1. **Zbierz fakty.** Często jesteśmy w takim stanie, że nie potrafimy jasno sprecyzować naszych myśli i nie jesteśmy w stanie podjąć decyzji.

2. **Potwierdź, że posiadasz zdolność do podejmowania właściwych decyzji.** Uwidoczni się tu Twoja odpowiedzialność.

3. **Bądź przekonany, że właściwa odpowiedź tkwi w Tobie, że ją znasz.** Powiedz: wiem co mam robić.

4. **Odłóż sprawę na bok na okres "wylęgania".** Wyłącz ją zupełnie z umysłu. Daj sobie jednak termin, że np: o godzinie drugiej w nadchodzący piątek powrócisz do problemu i podejmiesz decyzję. Jest to ważne, bo mobilizuje to podświadomie w Tobie siły.

5.**O określonej godzinie zacznij działać tak, jakby decyzja już została podjęta.**

Rozpocznij akcję. Wybierz kurs działania. Bądź pełen wiary, że Twoje ręce, działania, słowa będą zmierzały we właściwym kierunku. "Nim zawołają, odpowiem" (Iza; 65:24). Idealna odpowiedź istnieje w Umyśle Bożym, już przed tym nim staniemy się świadomi tej potrzeby. Jest to Prawo Wszechbytu. Miej świadomość, że w momencie podejmowania decyzji przez jedność z Nieskończonym Umysłem odpowiedź jest już gotowa. Kiedy skoncentrujesz się, przyjdzie do Ciebie.

Jeśli masz przed sobą cel i wytworzysz w sobie nawyk oczekiwania na zakończenie tego co rozpocząłeś, zauważysz, że łatwiej Ci będzie podejmować decyzje.

15. UWAŻNE SŁUCHANIE JAKO NIEODZOWNY ELEMENT W ŻYCIU

Uczynię wszystko, aby ludzie byli zadowoleni, że rozmawiali ze mną.
Jest to postawa, która może być sposobem na życie. Kiedy podnosisz słuchawkę telefoniczną Twoja postawa powinna być ukierunkowana na usługi. Twoja uwaga musi być skierowana na drugiego człowieka, nigdy na własną osobę.

Gdy w sercu nosisz dobro drugiego człowieka, a nie tylko swoje, inni natychmiast to odczuwają. Może nie będą umieli wyrazić tego słowami i wyjaśnić dlaczego tak odbierają, ale czują to.

Ludzie doznają mieszanych uczuć w momencie, gdy rozmawiają z osobą, która ma na względzie tylko swój własny interes, pomijając potrzeby rozmówców.

Jak to się dzieje, że potrafimy tak doskonale odbierać pewne rzeczy?

Istnieje coś co określamy porozumiewaniem się bez słów.

Znamy stare powiedzenie: To czym jesteś przemawia przez ciebie tak głośno, że nie mogę usłyszeć co mówisz.

Człowiek jest zdolny do porozumiewania za pomocą 240 tysięcy bezsłownych sygnałów.

Jeśli weźmiemy pod uwagę ograniczone słownictwo przeciętnego człowieka, łatwo zrozumiemy dlaczego porozumiewanie się bez słów odnosi większe efekty.

Ludzie mają zdolności telegrafowania swoich intencji i uczuć. Cokolwiek dzieje się wewnątrz, pojawia się na zewnątrz.

Większość bezsłownych przekazów otrzymujemy z naszego poziomu świadomości.

Nasz podświadomy umysł działa jak robot. Przyjmuje sygnały i ocenia, a następnie serwuje, jako uczucia oparte na naszych uprzednio zdobytych doświadczeniach.

Kiedy przyjmujesz postawę wobec innych, że uczynisz wszystko, aby byli oni zadowoleni, że rozmawiali z Tobą, musisz okazać swoje zainteresowanie ich problemami, musisz czuć w sercu ich dobro. Stworzysz dla siebie i dla rozmówcy właściwy klimat, który przyniesie wam korzyść.

Z takim podejściem każdy z nas wygrywa, a więc sukces jest w Tobie. Gdy sukces jest właściwie zasadzony wyrasta na zewnątrz i objawia się w świecie zewnętrznym.

Dr Wayne Dyer mówi: **Sukces jest wewnątrz i nie potrzeba za nim gonić.**

Sukces jest pojęciem wewnętrznym. Jest on częścią Twojego wewnętrznego rozwoju. Kiedy masz go w sobie i kultywujesz go, wnosisz ten sukces do każdej poszczególnej dziedziny swojego życia. Przekazujesz go swoim dzieciom. Nie dostajesz go przez odpowiednie wychowanie. Sukcesu nie odnosi się przez zawieranie transakcji. Nie uzyskasz go koncentrując się na prowizji, na tym ile zarobisz, ale na zaplanowanych rezultatach.

Wszystko co robisz w życiu musisz robić jako wolny, zadowolony człowiek bez ograniczeń. Z ufnością powinieneś kierować się na marzenia. Żyć radosnym życiem, jakie sobie wybrałeś i czynić każdy dzień cudownym.

Sukces będzie Cię szukał i przychodził do Twojego życia w ilości większej aniżeli kiedykolwiek mogłeś przewidywać.

Istnieje stara przypowieść o kotach.

Jest stary i młody kot. Mały kotek ugania się za własnym ogonkiem. Tej pogoni przygląda się stary kot i próbuje go zatrzymać. Pyta go dlaczego to robi. Kotek odpowiada, że uczęszcza do szkoły filozoficznej dla kotów. Dowiedział się tam, że najważniejszą rzeczą dla kota jest szczęście. Szczęście to jest ulokowane w ogonie. Doszedł on do przekonania, że musi złapać swój ogon, gdyż wówczas osiągnie powodzenie i wieczne szczęście.

Stary kot powiedział, że on nie miał okazji być słuchaczem szkoły filozoficznej. Całe życie spędził na bieganiu po kocich uliczkach. Wie jednak, że najistotniejszą rzeczą dla kota jest szczęście. Stwierdził, że istnieje w ich wiadomościach różnica, ponieważ on odkrył, że jeżeli wykonuje rzeczy najważniejsze, przynoszące radość, to szczęście zawsze mu towarzyszy bez względu na to gdzie się znajduje. Szczęście go nie odstępuje.

Spróbuj zastanowić się nad tą przypowieścią, przeanalizować ją i porównać do życia ludzi.

Napięte stosunki między ludźmi, fiasko biznesów, rozpady związków małżeńskich są często wynikiem nieudolności i braku zrozumienia punktu widzenia drugiej strony, jest to problem nieumiejętnego porozumiewania się. Jeśli do tego dojdzie brak cierpliwości i zarozumialstwo, to już jest zupełna katastrofa.

Jakżesz często podczas dyskusji, rozmów padają zdania: "Jeśli nie potrafisz zrozumieć mojego punktu widzenia, to nie mamy o czym mówić" lub "Albo zrobisz co ja chcę, albo zapomnij o wszystkim". To jest bardzo błędna i niewłaściwa postawa. Każda osoba biorąca udział w rozmowie jest ważnym partnerem. Każdy poruszany problem jest istotny i nad nim trzeba popracować ze spokojem i rozwagą. **Jak z tego wynika, największa zdolność porozumiewania polega na wzajemnym docenianiu się partnerów.**

Każdy z nas powinien nosić w sobie postawę doskonałego porozumiewania się. Zrób zatem wszystko, aby ludzie byli w pełni zadowoleni i mieli ogromną przyjemność ze spotkania Ciebie, z rozmowy z Tobą. Rozjaśniaj ich dzień tym, co im powiesz. I Ty będziesz miał dużą satysfakcję z kontaktów z takimi ludźmi.

Uznanie innych, danie im możliwości poczucia ważności, to istotny element w porozumiewaniu się. Jak to wszystko można osiągnąć? Tylko przez cierpliwe i rozumne słuchanie. Tak. **Słuchaj, słuchaj i jeszcze raz uważnie słuchaj!** To jest najważniejszy klucz do porozumiewania się. Słuchanie staje się zatraconą sztuką między ludźmi. Niewielu ludzi potrafi rzeczywiście słuchać drugiej osoby. Zbyt mocno zajęci są myślami o tym co mają odpowiedzieć.

A oto co cechuje dobrego słuchacza.

1. Dobry słuchacz słucha oczami.

Nawet wtedy, gdy mamy usta zamknięte, możemy mówić. Najlepszym sposobem na to, by stać się interesującym jest bycie zainteresowanym, a stopień Twojego zainteresownia mierzony jest sposobem mowy całego ciała.

Silnym magnesem w porozumiewaniu się z innymi jest wzrok. Jeśli patrzysz rozmówcy prosto w oczy, jest to jasne dla niego, że jesteś nim zainteresowany.

2. Dobry słuchacz zawsze zachowuje tajemnicę.

Naczelną zasadą dla każdego, kto pragnie głębokiej przyjaźni jest zatrzymywanie wiadomości dla siebie.

Nie trzeba być inteligentnym, aby dojść do wniosku, że jeżeli powtarzasz swojemu rozmówcy sekrety innych, to niebawem i jego tajemnice spotka podobny los.

3. Dobry słuchacz oszczędnie udziela rad.

4. Dobry słuchacz "zamyka pętlę".

"Zamykanie pętli" polega na wypowiedzi, odbiorze tej wypowiedzi i potwierdzeniu informacji, na przykład:

A. Widziałem się dzisiaj z Krzysztofem.

B. Co u niego słychać?

A. Wydaje mi się, że wszystko jest w porządku.

5. Dobry słuchacz okazuje wdzięczność, gdy ktoś mu się zwierza.

Kiedy okazujemy otwarcie naszą wdzięczność rozmówcy, otwieramy tym samym drogę do jeszcze większej intymności.

Problem dobrego porozumiewania się jest ważny przy zawieraniu transakcji biznesowych. Bywa, że porozumiewanie się często jest zabarwione zagraniami mocy. Ludzie próbują robić wrażenie, zamiast koncentrować się nad wyrażeniami słownymi.

Pamiętaj, **zawsze cierpliwie wysłuchaj drugiej osoby i dowiedz się czego ona chce.** Nie zawsze będziesz miał możliwość wykonania tego o co proszą, ale możesz podsunąć dobre rozwiązanie. **Nie okazuj nigdy irytacji, zdenerwowania czy obojętności.**

Podczas rozmowy, dyskusji, pertraktacji osoba niedoceniana obniża swoją produktywność. Bo i po co się ma wysilać, jeśli nie jest brana pod uwagę jako współpartner.

Ten sam problem możemy odnieść do zakładu pracy. Kto chce pracować w miejscu, gdzie nie szanuje się jego wartości, nie liczy się ze zdaniem czy opinią. A co gorsze dostrzega się tylko potknięcia, uchybienia, błędy. To już zupełnie może zniechęcić do wykonywanych obowiązków.

Słuchanie i to słuchanie uważne innych ludzi jest nieodzownym elementem naszego życia.

Przez słuchanie będziesz odnosił sukcesy i zdobywał dobra materialne. Jeśli lepiej będziesz rozumiał swojego szefa, kolegów w pracy, podwładnych, klientów itd. osiągniesz doskonalsze zrozumienie potrzeb zakładu, przedsiębiorstwa. Tym samym praca Twoja jak i innych będzie przynosiła znaczące efekty.

Zagadnienie słuchania jest ulubionym tematem Toma Peters'a autora "In Search For Excellence".

Uważa on, że słuchanie jest najważniejszym obowiązkiem współczesnego menedżera.

Obojętnie gdzie się znajdziesz, kto będzie Twoim rozmówcą, słuchaj uważnie. Przywiązuj uwagę do tego co do Ciebie mówią. Nie możesz tylko słuchać dlatego, aby wysłuchać drugą stronę. Ty musisz z rozmowy dowiedzieć się czego od Ciebie potrzebują, co Ci proponują, a ponadto zdobywać dla siebie ciągle nowe informacje.

Przez taką postawę zyskasz wiele życzliwości, przyjaźni. Będą oferowali Ci współpracę i okazywali lojalność.

Problem uważnego słuchania jak już wspomniałem jest bardzo istotny dla menedżerów, dyrektorów,kierowników, jednym słowem dla personelu zarządzającego.

Mądry zwierzchnik z ogromnym zainteresowaniem będzie słuchał tego co mają do powiedzenia podwładni. Wie, że oni lepiej dostrzegają najdrobniejsze sprawy, bo stykają się z nimi na co dzień. Wysłuchuje zatem pilnie wszystkiego, zbiera cenne informacje, uczy się nowych rzeczy, poznaje rzeczywistość, która jest na dole. Zwierzchnik, słuchając pracowników, uwalnia ich od obciążeń co pozwala im na lepsze wykonywanie pracy.

Bywają i tacy, którzy nie słuchają co się do nich mówi. Nie słuchają, bo boją się gorzkiej prawdy o sobie. Nie słuchają, bo są przekonani, że nie potrafią naprawić lub uzdrowić pewnych rzeczy. Boją się, że nie sprostają wymaganiom i propozycjom.

Badania wykazały, że 99% niepowodzeń w pracy powodują bardzo banalne i trywialne rzeczy, zaś 98% - to zupełnie błahe sprawy, które podczas bezpośredniej konfrontacji mogą być natychmiast rozwiązane, często wynikają z biurokracji.

Jeden z wielkich dyrektorów sceny powiedział, że gra aktorska jest reagowaniem. Aktor dokonuje tego przy pomocy oczu i uszu, a nie ust.

Słuchanie zatem nie jest pasywne, jest aktywne.

Jak pozyskać czyjąś uwagę? Możesz ją zdobyć poprzez mówienie do rozmówcy tego co jest ważne dla niego. Nigdy przez mówienie o sobie lub robienie mądrych uwag. Tym nie wywołasz pozytywnego wrażenia.

Stwierdzono, że przez okazywanie zainteresowania ludziom możesz pozyskać więcej przyjaciół w przeciągu 20 minut niż przez 20 tygodni mówienia o tym, co Ciebie interesuje.

Czy nie zdarzyło Ci się być zagniewanym z takiego powodu, że ludzie nie robią tego, czego od nich oczekujesz? Dałeś jasne, wyraźne instrukcje, a otrzymałeś zupełnie coś innego. Musisz w tym momencie zrozumieć, że problem nie leży w ludziach, lecz w Tobie. Brak zrozumienia poleceń jest wynikiem niewłaściwego zrozumienia się, złej komunikacji. Musisz zdawać sobie dokładnie sprawę, nim wydasz polecenie, **czego oczekujesz. Każda rzecz powinna być przemyślana.** Ponadto **używaj prostego języka** stosowanego w mowie potocznej. **Jasno precyzuj swoje myśli, koncepcje.** Słuchaj siebie, gdy mówisz. Czy rozumiesz co powiedziałeś? Dobrze, gdy spytasz osobę o wyjaśnienie tego co usłyszała od Ciebie. Da Ci to orientację, w jakiej formie Twój przekaz wraca do Ciebie i czy został poprawnie odebrany.

16. KRYTYKA

Krytyka - to analiza i ocena wartości (dobrych i złych stron) czegoś; potocznie - ocena ujemna, ganienie, wykazywanie braków, niedociągnięć; recenzja.

Najprostszym sposobem na to, aby stać się znienawidzonym i wzbudzić urazę trwającą całe lata, jest krytyka.

Kiedy krytykujesz drugą osobę stawiasz siebie ponad nią, a równocześnie tę osobę w pozycji kogoś niższego. Stajesz się kimś, kto ma autorytet.

Bez względu na to, co człowiek zrobił, jakie prowadzi życie, w jakich mieszka warunkach, nie czuje potrzeby i nie lubi wysłuchiwać krytycznych uwag.

Krytyka powoduje, że człowiek szuka usprawiedliwienia siebie. Krytyka rani cenną dumę, kaleczy poczucie ważności, nawet niszczy godność osobistą. Równocześnie budzi uraz w stosunku do osoby, która dokonuje krytyki.

Wobec tego, czy powinniśmy krytykować, a jeśli tak, to w jakich sytuacjach? Krytyka jest potrzebna. Ma ona swój sens w momencie, gdy ukazujemy braki w wykonywanych czynnościach, kiedy wskazujemy na niedociągnięcia w pracy itp. Jednak odnosi ona skutek tylko wówczas, gdy przekazywana jest w kulturalny sposób i nie powoduje przykrości.

"Prawdziwa cnota krytyk się nie boi" - tak napisał Ignacy Krasicki.

Krytyka jest potrzebna w stosunku do przestępców, do osób moralnie zagrożonych, do tych, którzy ujemnie oddziaływują na środowiska, w przypadku niesprawiedliwości itd.

Najlepszą zasadą postępowania w chwili, kiedy przyjdzie Ci ochota na krytykę bliźniego, jest nabranie wody w usta. Wstrzymaj się na chwilę. Spróbuj spojrzeć szerszymi oczami na człowieka, na przyczynę która kryje się za działaniem. Spytaj siebie: kim jestem, co lub kto daje mi prawo do krytyki, czy jestem tak wielki, czysty, doskonały i wszystko wiedzący? Może odpowiedź na te pytania wstrzyma Cię od wyrażenia opinii krytycznych.

Zdarza się, że krytyki dokonujemy w chwili, gdy jesteśmy w gorączce gniewu. Musisz ochłonąć, zanim otworzysz usta.

Jest to trudne do zrobienia i wymaga od Ciebie dużej dojrzałości, opanowania, samokontroli, mądrości. Jeśli uda Ci się ta sztuka, zasłużysz sobie na szacunek i miłość innych. Jest to droga prowadząca do wielkości.

"Cokolwiek czynisz, czyń roztropnie i patrz końca" - anonimowe przysłowie łacińskie.

Ludzie wiedzą oraz są przekonani o tym, że zrobili coś złego, niewłaściwego, szkodliwego i zwykle mają też świadomość, że Ty także to zauważyłeś. Twoja postawa i stosunek do tego co dostrzegasz zadecydują czy zyskasz uznanie i wdzięczność, czy też nienawiść.

Jeżeli przemilczysz te fakty lub w grzeczny sposób zwrócisz uwagę na nieprawidłowości, na pewno będziesz obdarzony szacunkiem. Mądra krytyka, przemyślane i wyważone słowa są bardzo potrzebne. Porafią w wielu przypadkach sprowadzić człowieka "na ziemię", wyzwolić w nim wysiłek do eliminowania błędów, obudzić chęci do pozytywnego działania lub innego sposobu myślenia.

Natomiast głośna krytyka, poza bólem, nienawiścią, najczęściej powoduje wzmocnienie tego co złe, co niewłaściwe.

Nie poddawaj krytyce człowieka, ale jego czyny.

Staraj się, aby celem Twojej krytyki były uwagi kierowane na doskonałość.

Weź sobie do serca to zdanie: **Nie sądź, abyś nie był sądzony.**

17. SZTUKA NEGOCJOWANIA

Życie nasze tak się układa, że ciągle musimy pertraktować w przeróżnych sprawach. Negocjacje są częścią naszego życia. Są podstawowym sposobem uzyskania od innych tego, czego chcemy. Jest to zwrotny proces komunikowania się w celu osiągnięcia porozumienia w sytuacji, gdy Ty i druga strona związani jesteście pewnymi interesami, z których jedne są wspólne, a inne przeciwne.

Nie wszyscy obdarzeni jesteśmy zdolnościami poprawnego negocjowania i to takiego, które przyniesie obu stronom satysfakcję. Jeśli nauczymy się tej sztuki będziemy odnosić sukcesy w naszych codziennych działaniach oraz usuniemy z życia wiele niepotrzebnych stresów, presji, tarć.

Pamiętamy z jaką uwagą cały świat oczekiwał na spotkanie Reagana z Gorbaczowem, na wyniki rozmów z tymi mężami stanu.

Kiedy statek Achille Laurino został opanowany na Morzu Śródziemnym przez terrorystów, prasa światowa koncentrowała się na wyniku negocjacji z terrorystami.

Nie wszystkie negocjacje przynoszą pozytywne rezultaty. Kiedy terroryści porwali egipski samolot na Malcie, pertraktacje zakończyły się klęską.

Czy sztuka i zręczność negocjowania ma zastosowanie tylko w sytuacjach światowych kryzysów i międzynarodowej dyplomacji? Oczywiście, że nie. My stale prowadzimy pertraktacje. Za każdym razem, kiedy spotykamy drugiego człowieka, to coś z nim załatwiamy, pertraktujemy.

W 1966 roku **Gerard Nierenberg** założył prestiżowy instytut, w którym uczono pomyślnych negocjacji. Był on doskonałym trenerem negocjatorów. Uczył tej trudnej i bardzo ważnej sztuki. W "Wall Street Journal" ukazało się stwierdzenie, że G. Nierenberg stworzył nowy zawód, który ma na celu przekonywać przeciwników, że nikt nie musi tracić w wyniku negocjacji. "Financial Time Canada" nazwała go **amerykańskim guru negocjacji.**

Czy negocjacje mogą być grą?

Negocjacje często bywały porównywane do gry. Dyscypliny sportowe mają swoje przepisy. Gracze zobowiązani są do ich przestrzegania. Zachowanie zawodników musi być zgodne z przepisami, regułami, zasadami, które prowadzą do zysków lub strat, zwycięstw lub porażek.

W negocjacjach nie mamy ściśle określonych przepisów. Nigdy nie jesteś pewien jaki ruch zrobi Twój partner.

Jeśli widzisz negocjację jako grę, to wchodzisz w nią w duchu rywalizacji. Robisz wysiłki w kierunku przeciwnika, tracąc to co mógłbyś z tej pertraktacji najlepszego dla siebie wynieść.

Nawet, gdyby udało Ci się w tej grze przekonać oponenta, to on i tak może wprowadzić Ciebie na pozycję przegraną.

Twoim celem powinno być osiągnięcie porozumienia a nie całkowitego zwycięstwa. Obie strony muszą czuć, że coś zyskują dla siebie w wyniku rozmów.

A zatem czy masz się wyzbyć postawy rywalizującej? Absolutnie nie. Postawa ta ma służyć jako proces integrujący strony. Rywalizacja koordynuje Twoje działania i przeciwstawia się działaniu Twojego partnera. Jest to konkurs, który daje Ci szansę zrozumienia własnej pewności wobec kogoś innego. Ale kiedy negocjacje są prowadzone w sposób wysoce rywalizujący kończą się zwycięstwem tylko jednej strony. Jest to pozorny sukces, bowiem takie porozumienie rzadko jest dotrzymywane. Strona przegrana najczęściej wnosi zastrzeżenia lub wycofuje się z transakcji w odpowiednim czasie albo proponuje zmianę warunków. Prowadzi to do straty czasu i przekreśla wysiłki.

Ludzie nastawieni w negocjacjach na rywalizację często bywają rozczarowani, zdziwieni i zadają pytanie, dlaczego niczego nie potrafią doprowadzić do końca. Mimo włożonego wysiłku nie odnoszą oczekiwanych efektów.

Trudno osiągać cele bez współpracy i pomocy innych.

Z powyższych rozważań wynika jasno, **że negocjacje nie są i nie mogą być grą ani też wojną** . To spokojne, pełne wzajemnego zrozumienia rozmowy, które mają na celu podpisanie najlepszego kontraktu, korzystnego dla obydwu stron.

W każdych negocjacjach bądź taktowny. Insynuacje i afronty służą tylko do pobudzenia wrogości u osoby, której przychylność chcesz zdobyć.

W negocjacjach mamy do czynienia z istotami ludzkimi, a nie z przedmiotami. Ludzie mają uczucia, bardzo ważne dla nich wartości, różne wykształcenie, doświadczenia i przeszłość.

Ich zachowania jak i Twoje są nieprzewidziane.

W negocjacjach łatwo jest zapomnieć, że musisz dać sobie radę nie tylko z problemami ludzkimi drugiej strony, ale także ze swoimi własnymi.

Zrozumienie sposobu myślenia drugiej strony jest bardzo ważne.

Nie podejmuj pochopnej decyzji.

W czasie pertraktacji należy pamiętać o kilku zasadach. **Nigdy nie akceptuj od razu pierwszej oferty, choćby wydawała Ci się bardzo dobra**. Musisz mieć czas na przemyślenie. Może przyjdzie Ci jakiś genialny pomysł lub partner zmieni warunki na korzystniejsze dla Ciebie.

Myślisz o kupnie samochodu. Twój sąsiad akurat wystawił na sprzedaż w doskonałym stanie auto za cenę 8 tysięcy dolarów. Jest to wyjątkowa okazja. Jesteś dobrym negocjatorem. Nie kupujesz tego samochodu w pośpiechu. Podajesz swoją ofertę kupna bardzo zaniżoną, bo tylko 6 tysięcy dolarów. Sąsiad zastanawia się. Do rozmowy wtrąca się jego żona. Nakłania go do przyjęcia oferty. Propozycja zostaje zaakceptowana.

Jaka jest wówczas Twoja pierwsza reakcja, co myślisz? Na pewno pomyślałeś, że mogłeś wymienić jeszcze niższą sumę. Być może żałujesz, że wyraziłeś chęć zakupu za tę właśnie cenę. Po chwili dochodzisz do wniosku, że skoro tak szybko sąsiad wyraził zgodę, to z pewnością samochód musi mieć jakieś mankamenty. To jest normalna reakcja. Ten sposób myślenia zawsze się potwierdza. Jeśli sprzedający wyraził zgodę na pierwszą niską oferowaną sumę kupna, to te dwie reakcje: "mogłem lepiej, taniej kupić" i "coś musi być w tym złego, zepsutego", zawsze będą występowały.

Proces negocjacji powinien być tak przeprowadzony, aby obydwie strony miały z tego pełną satysfakcję.

Czego więc w powyższym przykładzie zabrakło? Sąsiad nie powinien godzić się od razu na tę propozycję. Powinien zachwalać walory samochodu i podać argumenty swojej propozycji. Dopiero po wymianie zdań, przedstawieniu racji obydwu stron należało ostatecznie wyrazić zgodę. Wówczas czułbyś się wygrany, bo dokonałeś dobrej transakcji i zaoszczędziłeś sporą sumę pieniędzy.

Powoływanie się na wyższy autorytet.

Inna zasada często stosowana, to powoływanie się na wyższy autorytet, z którym chcesz ustalić podjęcie decyzji.

W momencie, kiedy dochodzi niemal do zakończenia pertraktacji Ty mówisz: świetnie, odłóżmy to do jutra, muszę zasięgnąć opinii mojego szefa (żony, rodziny, itp).

Następnego dnia dzwonisz i mówisz: bardzo trudno jest przekonać mojego szefa, ale myślę, że jeśli otrzymam paręset dolarów zniżki, to mi się uda. Reakcja kontrahenta może być różna. Być może, że uda Ci się otrzymać zniżkę. Zawsze warto spróbować.

Ważnym momentem w pertraktacjach jest dawanie czegoś za coś.

Jeśli oferujesz komuś zniżkę, pomoc, ulgę podkreślaj wartość tego co zrobiłeś i spytaj co możesz otrzymać w zamian. Ten sposób postępowania może na przykład zahamować proces śrubowania ceny lub zatrzyma proces ataku na Ciebie.

Twoje działania podczas negocjacji.

Wyobraź sobie następującą sytuację. Pracujesz w tym samym dziale z Adamem. Otrzymujecie od szefa propozycję przygotowania nowej linii produkcyjnej dla firmy, w której pracujecie. Ten, kto przedstawi lepszy pomysł i doskonalszą strategię marketingu zostanie mianowany na szefa nowego oddziału. Obydwaj przygotowaliście wspaniałe propozycje. Szefowi spodobały się te projekty, ale może przyjąć tylko jeden z nich do realizacji, bo na tyle wystarczy mu środków finansowych. Nadszedł moment negocjacji między Tobą i Adamem. Co w tej sytuacji powinieneś zrobić?

1. Nie przystępuj do negocjacji ze sztucznie wysokimi oczekiwaniami mając nadzieję osiągnięcia kompromisu.

Przypomniała mi się pewna przypowieść. Dwaj chłopcy są umierający na tajemniczą chorobę. Uzdrowić ich może tylko pomarańcza. Ojcowie chłopców udają się do człowieka, który wyhodował w swoim ogrodzie dorodne drzewo z tym owocem. Mężczyźni targują się o pomarańczę. Każdy chce ją kupić dla siebie. Dochodzą w końcu do porozumienia. Kupują owoc do spółki. Syn każdego z nich dostanie połowę owocu.

Ojcowie nie wyjaśnili sobie, który element z pomarańczy potrzebny był do uzdrowienia. Jednemu synowi potrzebny był sok, drugiemu zaś skórki. Gdyby wcześniej nastąpiło porozumienie, nie byłoby pertraktacji o pomarańczę.

Miejsce na kompromis istnieje zawsze. Jednak wcześniej musisz zdawać sobie sprawę co dla Ciebie, a co dla drugiej osoby jest ważne, wartościowe i co chcesz osiągnąć.

W momencie, gdy zastanawiacie się wspólnie z Adamem co dla każdego z was jest najwartościowsze i najcenniejsze w projektach, dochodzicie do korzystnego rozwiązania. Adam może być zainteresowany produkcją, Ty zaś marketingiem. Możecie dopracować projekt i wdrożyć go do realizacji.

2. Nie wyrażaj zbyt szybko swojej dezaprobaty i nie zatrzaskuj drzwi w momencie, kiedy ofiarowują Ci niekorzystne propozycje.

Stawianie spraw na ostrzu noża nie przyniesie pozytywnych rezultatów. Wyeliminuj z pertraktacji słowo "nie".

To co w tej chwili wydaje Ci się niekorzystne i złe, po przemyśleniu może okazać się całkowicie do przyjęcia.

3. Nie zaczynaj załatwiania spraw od najtrudniejszych zagadnień.

Mamy tendencję rozpoczynania rozmów od spraw najtrudniejszych. Uważamy, że inne rzeczy są łatwe i szybko się z nimi uporamy. To błąd. Okazuje się, że nie udaje się łatwo przeskoczyć początkowych przeszkód i doznajemy wówczas uczucia zawodu. Stąd wniosek, aby zaczynać od małych i łatwych spraw. One to stworzą podstawę do rozwiązania większych problemów.

4. W negocjacjach "nie zakładaj", lecz "przypuszczaj".

Jeśli działasz zakładając, że coś jest już faktem musisz zgodnie z tym postępować. Często prowadzi to do fatalnych skutków. W sytuacji z Adamem nie zakładaj czego on rzeczywiście pragnie, lecz przypuszczaj. Dowiedz się w rozmowie jakie są jego marzenia i cele.

5. Nie bądź defensywny i nie zatajaj informacji.

Zamiast patrzeć na swoich przeciwników jak na wrogą armię, przed którą musisz ukrywać swoje plany, spojrzyj na nich ciepło i pomyśl, że stanowią oni składową część zespołu rozwiązującego ten sam problem.

Im więcej informacji napłynie, tym szybciej cel zostanie osiągnięty. Dziel się wszystkim z Adamem i zachęć go, aby zrobił to samo w stosunku do Ciebie.

Przed przystąpieniem do negocjacji postaw sobie zawsze pytania:
- Jakie wspólne elementy mogą mnie łączyć z osobą po drugiej stronie stołu? A więc czy znam zawód tego człowieka, jego specjalności, jego zainteresowania, itd. Informacje tego typu będą pomocne podczas prezentowania Twoich propozycji.
- Jakie potrzeby i braki ma osoba z którą pertraktuję, a o których powinienem myśleć?

Jeżeli firma, którą on reprezentuje ma kłopoty finansowe musisz się skoncentrować na ekonomii. Może zaistnieć sytuacja, że firma dysponuje dużymi środkami finansowymi i będzie zainteresowana rozszerzeniem rynku bez względu na koszt.

- W jakim formacie mają być prowadzone negocjacje? Z kim pertraktujesz? Czy osoba ta szuka rozwiązań zadawalających obie strony? A może jest to ktoś, kto chce osiągnąć cel Twoim kosztem.

Jeśli już kiedyś prowadziłeś z tą osobą pertraktacje, będziesz wiedział czego się możesz spodziewać. Ale jeżeli spotykasz się po raz pierwszy, to zasięgnij wcześniej informacji na temat sposobu prowadzenia pertraktacji przez tę osobę. Pozwoli Ci to odpowiednio przygotować się do spotkania i rozmowy.

Weź pod uwagę następujące zagadnienia: Jak rozpocznę rozmowę? Czego będę oczekiwał? W jakiej sytuacji będę gotów przerwać pertraktacje? Jakie warunki może wysunąć druga strona?

Do rozmowy przystępuj z pełną świadomością potrzeb i możliwości. Panuj nad emocjami. Nie pozwól, aby Cię zdenerwowano.

Osobista siła.

Jest jeszcze wiele różnych czynników mających wpływ na wyniki negocjacji, między innymi **osobista siła mająca zdolność wpływania na innych ludzi.**

Sądzę, że zgodzisz się ze mną, że bardziej będziesz onieśmielony w czasie pertraktacji z wiceprezesem firmy niż ze sprzedawcą.

Ten, kto ma tytuł, ma też siłę osobistą.

Prezydent USA, w momencie złożenia przysięgi na urząd, wraz z tytułem otrzymuje moc. Wszystko to z czego był znany przed zaprzysiężeniem zostaje odsunięte na bok. Teraz najistotniejszym jest fakt jak wykorzysta tę prawną moc i swoje zdolności jako przywódca.

Spotykamy się jeszcze z mocą nagradzania, mocą duchową i charyzmatyczną.

Człowiek, który jest obdarzony tymi czterema typami mocy jest ogromnie silny. Wpływ takiej jednostki na innych ma dodatnie efekty, choć historia odnotowała też wręcz odwrotne działania. Tak było z Adolfem Hitlerem, który objął całkowitą władzę i kontrolę nad Niemcami.

Miał on prawnie zdobytą władzę. Sam siebie proklamował

Kanclerzem III Rzeszy. Jego siła związana z tytułem była ogromna. Ukazywał również siłę nagradzania. Rok po roku mówił do Niemców: "Jeśli zrobicie to co proponuję, to będziemy mieć to czego potrzebujemy". Miał on moc przekonywania ludzi. W dyktatorski sposób przedstawiał zespół wartości, od których nigdy nie chciał odejść. Miał także moc charyzmatyczną. Nie miał osobowości gwiazdy filmowej, lecz jego umiejętność przekazywania, komunikowania się z tłumami była niespotykana. Był zdolny stanąć przed dziesiątkami tysięcy ludzi i utrzymać ich w absolutnej hipnozie. Te cztery typy mocy posiadał prezydent John F. Kennedy i Ronald Reagan. A jaką moc wpływania na innych Ty posiadasz? Czy próbowałeś się przyjrzeć temu problemowi?

Przed przystąpieniem do negocjacji musisz mieć wewnętrzne nastawienie, że jeśli nie będą one pomyślne dla Ciebie, to potrafisz się z nich wycofać. Uczyni Cię to dziesięć razy silniejszym negocjatorem.

Masz zamiar kupić dom i po wielu wędrówkach znajdujesz taki, który odpowiada Twoim potrzebom. Negocjujesz kupno. Przed przystąpieniem do rozmów pomyślałeś, że jeśli nie uzyskasz odpowiednich warunków i ceny, zrezygnujesz z tego kupna. W czasie negocjacji decydujesz się mimo wszystko na ten dom. Próbujesz ustalić najlepszą cenę. Chcesz ten dom i nabędziesz go. Już nie jesteś w stanie zrezygnować. Jest to ten punkt, w którym tracisz siłę manewru i pozbawiasz się atutu w negocjacjach.

Bądź czujny.

W negocjacjach, po ostatecznym podjęciu decyzji kupna, jesteśmy najbardziej podatni na naciąganie. Sprzedawcy przychodzą do nas z różnego rodzaju ofertami rozszerzonych gwarancji, usług, itp.

W końcowym etapie negocjacji istotne jest, aby to co zostało ustalone nanieść na papier i uwiarygodnić podpisem.

Kiedy weźmiesz do ręki pisemny kontrakt wówczas przypomną Ci się te elementy, które zostały przeoczone lub zapomniałeś omówić podczas negocjacji. Możesz też zauważyć rozbieżności lub niejasności. Wszystko to można ostatecznie dopracować. W zależności, która strona przygotowuje umowę na piśmie może napisać ją na swoją korzyść. Dlatego bądź zawsze tym, który chętnie spisze umowę, nawet gdyby Ci przyszło ponieść koszty opłacenia adwokata.

Pamiętaj o tym co już poruszaliśmy, postępuj tak w negocjacjach, aby druga osoba czuła się dobrze. Rób czasami symboliczne ustępstwo.

Kiedy kończysz negocjacje bez względu na to, jak słabo oceniasz pertraktacje drugiej osoby, zawsze pogratuluj jej, uściśnij rękę i powiedz, że spisała się doskonale. Możesz dodać: Zdaję sobie sprawę, że nie zrobiłem tak dobrego kupna jak mogłem, ale to było warte tego, ponieważ nauczyłem się umiejętnego negocjowania podczas tych pertraktacji. Pan jest wspaniały, gdzie pan się tego nauczył?

Koncentracja ułatwia negocjacje.

Kiedy pertraktujesz, koncentruj się na zagadnieniu. Nie daj się wysadzić z siodła. Bardzo, łatwo dla niedoświadczonych negocjatorów, stracić z oczu sprawę i zejść z kursu w wyniku różnych sztuczek drugiej strony.

Dobrzy negocjatorzy nie pozwolą się wyprowadzić z równowagi. Koncentrują się na zagadnieniach. Często zapisują w zeszytach swoje uwagi, aby mieć wizualną ilustrację przebiegu rozmów. Pozwala im to w momencie zdenerwowania zajrzeć do notatek i skoncentrować się na wątku.

Koncentracja podczas negocjacji jest bardzo istotna. Cały czas musisz śledzić wszystkie szczegóły, analizować je i odpowiednio reagować. W czasie rozmów sprawdzaj, gdzie jesteś w obecnej chwili w porównaniu do tego, gdzie byłeś przed pięcioma minutami. **Negocjacje często, tak jak owoce, potrzebują czasu na dojrzewanie. Nie można pochopnie podejmować decyzji.** Nie ma negocjacji bez komunikowania się. Komunikowanie nie jest łatwe nawet między ludźmi, których łączą wspólne wartości i doświadczenia.

Zasada pomyślnych negocjacji.

W negocjacjach nie wolno dopuszczać do słownego lub fizycznego znęcania się nad stroną słabszą. Poniżanie może doprowadzić do zerwania pertraktacji. Zmusza najczęściej do obrony. Osoba poniżana czuje się urażona i nie ma ochoty do kontynuowania rozmowy. Zasada pomyślnych negocjacji oparta jest na wzajemnym zrozumieniu i współpracy. Jest to wielka sztuka przekonywania się dotycząca osiągnięcia celu. Musisz tak prowadzić rozmowę, aby druga strona czuła, że chcesz jej pomóc, lecz przy równoczesnym wyciągnięciu jak największych korzyści dla siebie.

Abraham Lincoln powiedział: "Kiedy jestem gotów do uzasadnienia czegoś, jedną trzecią czasu przeznaczam na to, co ja mam do powiedzenia, natomiast dwie trzecie czasu zużywam na przemyślenie tego, co mogę usłyszeć od partnera".

Umiejętne negocjowanie jest drogą do Twojego sukcesu.

O powodzeniu negocjacji możemy mówić, gdy:

1. Wszystkie zasadnicze interesy zostały zaspokojone.

2. Krytyczne sprawy przeciwnej strony zostały zabezpieczone.

3. Wzajemne stosunki są dobre i przyjazne.

4. Wyniki są lepsze niż jakakolwiek alternatywa, o której mogłeś myśleć.

W pomyślnych negocjacjach istnieje tak zwana "zasada trójkąta". Wyobraź sobie w swoim umyśle trójkąt równoramienny. Na jednym z jego wierzchołków jesteś Ty, na drugim - Twój klient, a na trzecim - sprawa nad którą negocjujecie. Każda część trójkąta jest równa i wszyscy mają jednakowe szanse na zwycięstwo. Nikt nie przegrywa. Każdy musi czuć się zadowolony, że coś zyskał.

Jeśli zdarzy się, że jedna strona odczuje iż została nabrana lub wykorzystana, nie będzie dobrej transakcji. Wszystkie przyczyny i skutki będą przeciwdziałały i stwarzały problemy. Kiedy zaś zakończą się pomyślnie dla obydwu stron, przyniosą zadowolenie i oczekiwane efekty.

Pamiętaj, że negocjacje zaczynają się w momencie, gdy rozpoczynasz słuchać co druga osoba ma Ci do powiedzenia.

Słuchać musisz z uwagą. Nie myśl wówczas co będziesz mówił, kiedy przyjdzie na Ciebie kolej.

Bądź życzliwy i serdeczny. Musisz mieć jasno sprecyzowane własne oczekiwania oraz możliwości kompromisu do przyjęcia przez Ciebie.

Podczas negocjacji postępuj według zasad
1. Buduj stosunki umożliwiające współpracę. Należy już to zacząć przed rozpoczęciem negocjacji.
2. Mierz się z problemem a nie z człowiekiem.
3. Skoncentuj się na interesach a nie na stanowiskach.
4. Działaj tak, aby Twoje interesy były jasne.
5. Sformułuj problem zanim dasz odpowiedź.
6. Patrz przed siebie a nie za siebie.
7. Bądź konkretny, ale elastyczny.
8. Bądź twardy w stosunku do problemu, miękki w stosunku do ludzi.
9. Uznaj ich interesy za część problemu.
10. Szukaj możliwości dających korzyści obu stronom.
11. Ułatw im podjęcie decyzji.
12. Negocjuj stosując obiektywne kryteria.

Podstępne taktyki.

Co zrobić, gdy druga strona ma silniejszą pozycję negocjacyjną? Co zrobić, gdy druga strona jest bogatsza, lepiej ustosunkowana lub ma większy personel i dysponuje silniejszą bronią?

Żadna metoda nie może gwarantować powodzenia, jeśli wszystkie atuty są w posiadaniu drugiej strony.

Wykorzystaj wiedzę, czas, pieniędze, ludzi, powiązania i olej w głowie, aby określić najlepsze z rozwiązań, niezależnie od akceptacji drugiej strony. Im łatwiej i chętniej możesz odejść od negocjacji, tym większe masz możliwości wpływu na ich rezultaty.

Bywa że przeciwna strona stosuje w negocjacjach podstępne taktyki, które są pułapkami.

Zapoznaj się z nimi, może będą Ci one pomocne.

1. Rozmyślne oszustwo.
Występują tu elementy przekręcania faktów lub intencji.

2. Fałszywe fakty.

Najstarsza podstępna forma negocjowania, to świadome składanie fałszywych oświadczeń, np."Ten samochód ma tylko sześć tysięcy mil przebiegu. Jeździła nim starsza pani, która bardzo dbała o auto". Oddzielaj ludzi od problemu. Jeśli nie masz dobrych podstaw, aby komuś wierzyć, to nie ufaj mu.

3. Niejasny mandat.

Druga strona może Ci pozwolić, abyś uwierzył, że oni podobnie jak i Ty, mają mandat pozwalający na kompromis, podczas, gdy w rzeczywistości tak nie jest.

Zanim zaczniesz jakąkolwiek wymianę, dowiedz się jaki mandat ma druga strona.

Jeśli odpowiedź jest mało zadowalająca, możesz zażyczyć sobie rozmowy z kimś, kto ma znaczącą władzę lub oświadczyć, że zastrzegasz sobie prawo do ponownego rozważenia każdego z punktów.

4. Wątpliwe intencje

Gdy masz wątpliwości co do przestrzegania przez drugą stronę ewentualnego porozumienia, możesz budować gwarancje postanowień co do jego przestrzegania.

5. Niejasne odkrycie nie jest oszustwem

Negocjowanie w dobrej wierze nie wymaga pełnego odkrycia.

6. Wojna psychologiczna

Ma na celu wprowadzić Cię w nieprzyjemne poczucie po to tylko, abyś podświadomie chciał zakończyć negocjacje tak szybko, jak to jest możliwe.

7. Sytuacje stresujące

Zwracaj uwagę na proste pytania. Ważne jest miejsce negocjacji. U siebie czułbyś się znakomicie, ale warto czasem przyjąć ofertę spotkania na terenie drugiej strony. Może to ich rozluźnić i spowodować większą otwartość.

Jeżeli pozwolisz wybrać drugiej stronie miejsce do negocjacji, musisz być świadomy, jaki jest ten wybór i jakie mogą być tego skutki.

63

8. Ataki personalne

Druga strona może zastosować w stosunku do Ciebie słowne ataki po to tylko, aby Cię podenerwować i wytworzyć w Tobie nieprzyjemne uczucie. Ataki te mogą dotyczyć Twojego wyglądu, na przykład: Wyglądasz jakbyś nie spał całą noc. Mogą dotyczyć Twojego ubioru, uczesania. Mogą dać Ci do zrozumienia, że jesteś arogancki. Mogą odmówić słuchania i zmuszać Cię do powtarzania. Mogą celowo unikać patrzenia w oczy.

9. Procedura dobry - zły facet

Na pewno widzieliście tę metodę pokazywaną w starych kryminalnych filmach. Na śledztwo przyprowadzany jest podejrzany. Pierwszy detektyw, który ma go przesłuchiwać jest typem człowieka nieprzyjemnego, szorstkiego, złośliwego i agresywnego. Grozi podejrzanemu na różne sposoby. W pewnym momencie zostaje wezwany do telefonu. Do pokoju wchodzi inny detektyw. Ten jest najsympatyczniejszym człowiekiem jakiego można spotkać na świecie. Siada obok podejrzanego i mówi: "Słuchaj, to nie wygląda tak źle. Oni próbują cię zastraszyć. Żal mi cię. Wzbudzasz moją wielką sympatię. Chcę ci pomóc. Dlatego daj mi szansę zrobienia czegoś dla ciebie". Rzeczywiście jest to pokusa, aby podejrzany pomyślał, że ten dobry facet jest po jego stronie. Oczywiście nie jest to prawda. Chodzi tu o zdobycie zaufania i informacji potrzebnych do sprawy.

Metoda "dobry facet - zły facet" jest często stosowana. Przypomnij sobie czy nie była użyta wobec Ciebie. A może byłeś świadkiem, uczestnikiem takiej scenki.

Spotykają się partnerzy w celu załatwiena interesu. Jedni przedstawiają swoją ofertę i nie chcą słyszeć o jakichkolwiek ustępstwach czy obniżkach. Drudzy pertraktują i chcą uzyskać jak najlepszą transakcję. Powoli dogadują się, ale w tym momencie ktoś ze strony przyjmującej ofertę zaczyna się irytować i wyraża głośno swoją opinę: "Słuchajcie, myślę, że ci ludzie nie są zainteresowani zawarciem kontraktu. Przykro mi, ale nie mam zamiaru bezprodukywnie marnować swojego cennego czasu". I z szumem wychodzi z pokoju.

Takie zachowanie przeraziło stronę oferującą. Nie byli przyzwyczajeni do negocjacji. Do wyjścia kierują się pozostałe osoby. Wszyscy myślą, że negocjacje będą przerwane. Jeden z wychodzących odzywa się: "Słuchajcie, sądzę, że jeszcze możemy sprawę przeprowadzić, ale musicie być bardziej elastyczni".

I wówczas oferujący wpadają w pułapkę. Odpowiadają: "Dobrze, a co proponujecie, aby doszło do zawarcia transakcji."

Wkrótce dochodzi do ugody, ale na warunkach strony kupującej. Jest to bardzo efektywna taktyka.

W ten prosty sposób Carter z Reaganem wydostali z Iranu zakładników. Przypomnijmy sobie. Carter przegrał wybory. Bardzo mu zależało na załatwieniu sprawy z zakładnikami zanim Reagan wprowadzi się do Białego Domu i kredyt za uwolnienie zakładników weźmie na siebie. Tak więc zaczął on pertraktacje z przedstawicielami Iranu metodą "dobry - zły". Powiedział do Irańczyków: "Słuchajcie, gdybym ja był wami, to tę sprawę już dawno rozwiązałbym. Nie ryzykowałbym pertraktacji z nowym prezydentem. Czy przyjrzeliście się temu człowiekowi? Mój następca jest byłym aktorem, twardym typem kowboja. Wiceprezydent Georg Bush jest byłym szefem CIA. Sekretarzem stanu jest gen. Aleksander Heig. To są zwariowane typy. Przed niczym się nie ugną."

Reagan zaś w rozmowie z Irańczykami powiedział: "Gdybym ja był na waszym miejscu rozmawiałbym z Carterem. To jest bardzo porządny facet. Nie pochwalicie tego co będę miał do powiedzenia, kiedy zamieszkam w Białym Domu."

Zakładnicy zostali uwolnieni rankiem przed inauguracją prezydentury Reagana.

Ta historia świadczy o skuteczności metody "dobry - zły facet".

Jeśli chcesz zaskoczyć przeciwników stosujących wobec Ciebie metodę negocjacji "dobry - zły" musisz przed rozpoczęciem konkretnych rozmów rzucić: "O panowie nie próbujcie grać przede mną farsy i udawać dobrego lub złego człowieka."

Twoi kontrahenci będą zaambarasowani, że przejrzano ich nieczyste zamiary i wycofają się z tego.

10. Groźby

Groźba to presja. Presja prowadzi często do efektu zupełnie przeciwnego niż zamierzony - tworząc presję po drugiej stronie.

Zamiast ułatwić drugiej stronie decyzję, często ją utrudnia. Dobry negocjator nie odwołuje się do gróźb. Aby groźba była skuteczna, musi zostać wiarygodnie zakomunikowana. Łagodniejsze od gróźb są ostrzeżenia.

11. Taktyki presji pozycyjnej

Ten rodzaj taktyk przetargowych ma na celu takie uporządkowanie sytuacji, że tylko jedna ze stron może ustępować.

12. Odmowa negocjowania

Nie przypuszczaj ataku gniewu na odmowę negocjowania, lecz staraj się dowiedzieć jaka jest tego przyczyna.

Zaproponuj jakieś rozwiązanie, na przykład negocjowanie z pomocą trzeciej osoby, przesyłanie listów, celem przedyskutownia problemów.

13. Radykalne żądania

Postawienie krańcowego żądania, o którym Ty i oni wiecie, że z niego zrezygnują, zmniejsza ich wiarygodność. Takie otwarcie może "zabić" negocjacje. Poproś ich o uzasadnienie stanowiska rezygnacji opartego na zasadach i to również wtedy, gdy wygląda to komicznie nawet dla nich.

14. Eskalacja żądań

Negocjator może podwyższać jedno ze swoich żądań za każdym razem, gdy czyni ustępstwo w jakiejś innej kwestii. Może proponować powrót do kwestii, które wydawały Ci się rozstrzygnięte.

Gdy zorientujesz się, że stosowana jest taka taktyka, wyraźnie im o tym powiedz, a następnie przerwij na chwilę rozmowę i rozważ czy i na jakiej podstawie chcesz kontynuować negocjacje.

Unikniesz impulsywnej reakcji, wskazując jednocześnie na ważność ich zachowania. Domagaj się przestrzegania zasad.

15. Taktyki zamykania się

Taktyka ta jest hazardem. Możesz odczytać blef drugiej strony i zmusić ją do ustępstwa.

Podobnie jak groźby, "taktyki zamykania się", zależą od komunikowania się.

Taktyka ta stosowana jest głównie w negocjacjach między

związkami zawodowymi a pracodawcą oraz w negocjacjach międzynarodowych.

16. Bezlitosny partner

Jest to najbardziej powszechna taktyka stosowana do usprawiedliwienia nie poddawania się Twoim prośbom. W taktyce tej strona przeciwna stwierdza, że osobiście nie miałaby nic przeciwko temu, ale jego bezlitosny partner nie pozwala mu na wyrażenie zgody, np: Zgadzam się, że to doskonale uzasadniona prośba. Niestety moja żona absolutnie nie zgadza się ze mną w tej sprawie. Rozpoznaj tę taktykę. O ile to możliwe, rozmawiaj bezpośrednio z bezlitosnym partnerem.

17. Wykalkulowane opóźnienie

Często jedna ze stron będzie próbowała przełożyć decyzję aż do momentu, który uzna za korzystny. Jasno postaw kwestię taktyki opóźniania i próbuj ją negocjować. Poszukaj obiektywnych warunków, które mogą być podstawą określenia ostatecznego terminu.

18. Zgadzasz się albo nie

Zanim otwarcie postawisz kwestię taktyki "zgadzasz się albo nie" i zaczniesz negocjować ją, zastanów się najpierw czy jej nie zignorować. Rozmawiaj, jak gdybyś nie słyszał tego lub zmień przedmiot dyskusji, wprowadzając na przykład inne rozwiązanie.

Sztuka negocjowania nie jest tylko dla dyplomatów. Wytrawni negocjatorzy, ludzie biznesu, prawnicy, psychologowie zgadzają się co do tego, **że podstawa sukcesu w negocjacjach leży w zdolności jasnego rozumienia czego druga osoba (strona) pragnie oraz w precyzyjnym wyrażaniu własnych potrzeb.**

ZROZUMIENIE POTRZEB

18. ROZUMIENIE LUDZI I ICH NATURY

Zrozumienie ludzi i ich natury to nieodzowny element do właściwego i umiejętnego postępowania z nimi.

W momencie, gdy posiadasz prawidłowe zrozumienie natury ludzkiej, kiedy wiesz dlaczego ludzie robią różne, czasem bardzo dziwne rzeczy, kiedy wiesz dlaczego i jak ludzie będą reagować w określonych warunkach, to wówczas możesz stać się sprawnym menedżerem ludzi.

Rozumienie ludzi i ich natury obejmuje rozeznanie tego kim oni są, a nigdy tego, co o nich sądzisz lub czym chciałbyś, aby byli.

Ludzie zainteresowani są głównie własną osobą. Dziesięć tysięcy razy bardziej zainteresowany będziesz sobą niż na przykład kolegą w pracy lub kimkolwiek innym.

Działania człowieka są podporządkowane jego własnym myślom, własnym interesom. Cecha ta jest tak silna w człowieku, że dominującą myślą w aktach miłosierdzia jest zadowolenie i przyjemność jaką ofiarujący otrzymuje z dawania, a nie dobro, jakie wynika z tego daru. To przychodzi na drugim miejscu.

Zainteresowanie sobą leży w ludzkiej naturze. Tak było zawsze niemal od początku świata i na pewno będzie do końca istnienia życia człowieka na Ziemi. Człowiek już przyszedł z taką naturą na świat i pod tym względem jesteśmy wszyscy do siebie podobni. Ta wiedza daje nam bazę, na której budujemy metody postępowania z ludźmi. To również daje nam moc i sprawność w pertraktacjach z innymi.

Wypracowane techniki postępowania z ludźmi prowadzą do sukcesu.

Kiedy rozmawiasz z ludźmi, podejmuj temat, który jest dla nich najbardziej interesujący. A co jest dla nich najbardziej interesujące, jak myślisz? Oni sami. Rozmową taką będą mocno zafascynowani. Poprzez tak kierowaną rozmowę myślą dobrze o Tobie. Mówiąc do ludzi o nich samych pochlebiasz im. Pracujesz zgodnie z naturą ludzką. W momencie, gdy mówisz do innych o sobie drażnisz ich i działasz przeciw naturze ludzkiej. Dlatego też eliminuj ze swojego słownictwa cztery słowa: "ja, mnie, mój, moje". Zastępuj je najpotężniejszym słowem wypowiadanym przez język ludzki - "Ty". Słowo to bardzo często stosowane jest w słownictwie ludzi sukcesu. **Kiedy zrezygnujesz z mówienia o sobie Twoja osobowość, skuteczność w działaniu, wpływy i moc ogromnie się zwiększą.** Jest to dość trudne do wykonania, ale poprzez praktykę można szybko osiągnąć znakomite rezultaty. Warto tę umiejętność ćwiczyć, bowiem przyniesie Ci ona wiele korzyści.

Innym doskonałym sposobem nawiązania rozmowy i skierowania jej na zainteresowanie rozmówcy samym sobą jest zachęcenie go takimi pytaniami, aby samorzutnie zaczął mówić o sobie. Przekonasz się, że **ludzie chętniej mówią o sobie aniżeli na jakikolwiek inny temat.**

Jakiego rodzaju pytania możesz skierować do rozmówcy? Mogą one być takie lub podobne do poniższych:
- Jak się ma twoja rodzina, Janku?
- Jak radzi sobie twój syn na studiach?
- Gdzie mieszka twoja zamężna córka?
- Jak długo pracujesz w firmie i czy praca jaką wykonujesz przynosi ci zadowolenie?
- Czy to jest twoje miasto rodzinnne?
- Co pan myśli o tym wydarzeniu panie X?
- Czy to jest fotografia pańskiej rodziny panie X?
- Czy udała się pani wycieczka?

Kiedy rozmawiamy z innymi, rozmawiajmy o nich i pozwólmy im mówić o sobie. **Pozwólmy ludziom mieć poczucie ważności.**

Pragnienie uznania, poczucia ważności, to cecha każdego z nas. Jest ona tak silnie rozwinięta w człowieku, że staje się przyczyną dobrych lub złych uczynków.

Dlatego w kontaktach z ludźmi daj im szansę, aby czuli się ważni. Pamiętaj, że im więcej pozwolisz im mówić o sobie i czuć się ważnymi, tym bardziej będą oni lgnęli do Ciebie.

Stosowanie tej zasady jest jedną z głównych podstaw, na których budowane są szczęśliwe związki z ludźmi. Czym możesz przyczynić się do odczuwania ważności przez innych?

1) Słuchaj uważnie, kiedy mówią i tego co Ci przekazują.

2) Oklaskuj i gratuluj im, kiedy na to zasługują.

3) Wymawiaj poprawnie nazwiska i pokazuj fotografie ludzi tak często, jak tylko to jest możliwe.

Kiedy ludzie słyszą, że wymawiasz ich nazwisko z szacunkiem i pokazujesz ciekawe momenty z ich życia uchwycone na zdjęciach, będą reagowali z wdzięcznością na Twoje zachowanie i będą darzyli Cię szacunkiem i miłością.

4) Jeśli masz komuś odpowiedzieć na pytanie nie czyń tego natychmiast. Zrób małą przerwę. Daj odczuć rozmówcy, że zastanawiasz się nad tym co usłyszałeś. Dajesz tym samym do zrozumienia, że wypowiedź czy pytania warte są przemyślenia.

5) Używaj słów: "ty, twój", a nie "ja, mnie, mój".

6) Jeśli ludzie przyszli na spotkanie z Tobą i czekają, abyś ich przyjął, daj im odczuć, że wiesz o ich obecności.

Poprzez ten znak pamięci poprawisz ich samopoczucie, poczują się autentycznie jak osoby znaczące.

7) Zwracaj uwagę na każdego w grupie, nie tylko na lidera czy rzecznika. Grupa to coś więcej niż jednostka.

19. JAK ZBLIŻYĆ SIĘ DO LUDZI, NA KTÓRYCH NAM ZALEŻY

Życie należy umacniać wieloma przyjaźniami. **Kochać i być kochanym to największe szczęście istnienia** - są to słowa znanego ze swych trafnych powiedzeń Sydney'a Smitha.

Trudno wyobrazić sobie życie w zupełnej izolacji. Człowiek jest istotą, która szuka bratniej duszy.

Osoby samotne żyją znacznie krócej. Samotność wywołuje często stany depresyjne.

Troszczymy się najczęściej o swoje zdrowie, odkładamy pieniądze, budujemy wspaniałe domy i wyposażamy je w najlepszy i najpiękniejszy sprzęt oraz urządzenia, ale czy to nas zadowoli, uczyni szczęśliwymi jeśli nie będziemy mieli przyjaciół i kontaktów towarzyskich?

Dlaczego nam brak przyjaźni? Istnieje prosty powód. Zbyt mało sami się angażujemy. Cenne i znaczące kontakty towarzyskie mają ci, którzy uważają je za coś ważnego i umieją je odpowiednio pielęgnować.

Arystoteles odkrył trzy rodzaje przyjaźni:
- Przyjaźń oparta na użyteczności. Ludzi łączy tu wspólny biznes.
- Przyjaźń oparta na przyjemności. Ludzi łączy humor, dowcip i wesołość.
- Przyjaźń oparta na wzajemnym towarzystwie i szczęściu drugiej osoby.

Bezinteresowność jest najlepszą zasadą w przyjaźni. To co przynosi korzyść Twojemu przyjacielowi, wzbogaca i Ciebie.

Ludzie, którzy są przyjaciółmi w najgłębszym tego pojęciu, wyróżniają siebie wzajemnie, a wszystkie przysługi, duże czy małe, nie są przypadkową częścią tej przyjaźni i nie stanowią o jej rozwoju. **Nasi najlepsi i najtrwalsi przyjaciele to ci, którzy myślą podobnie jak my, wierzą w te same rzeczy, mają podobne zainteresowania do naszych, stale nas inspirują do podążania z nimi w kierunku rozwijania dojrzałości umysłowej i emocjonalnej.**

We wzajemnych stosunkach między ludźmi ogromnie ważna jest otwartość, szczerość. One to pomagają w przyjaźni.

Jesteśmy bardzo przeciwni ujawnianiu naszej przeszłości, naszych tajemnic przed innymi. Trwa to tak długo, jak długo się tego boimy. W chwili, gdy odkryjemy przed kimś nasze sekrety, zaczynamy sami siebie lepiej rozumieć.

Jedna z mądrości delfickich mówi: "Poznaj siebie", my możemy to rozszerzyć: "Daj się poznać innym, a wtedy poznasz siebie".

O wartości otwarcia się dla innych pięknie napisała angielska nowelistka Marian Evans (George Eliot): "Cóż to za nieopisana ulga, mieć poczucie bezpieczeństwa przy innej osobie, nie musieć ważyć w myśli, ani mierzyć słów, lecz wylewać je wszystkie z siebie wiedząc, że wierna dłoń przyjmie je i zachowa..."

Otwartość i szczerość nie wymaga obnażania się w każdym momencie. Nie miałoby sensu otwieranie się w pełni przed każdym. Mamy prawo do ciszy i do decydowania, jaką część swojej osobowości możemy ujawnić w danej sytuacji. Na pewno będziemy unikać ujawniania uczuć i faktów, które mogłyby przynieść szkodę innym lub zranić słuchającego.

Wszystkie przyjaźnie przechodzą okresy prób i przeżywają wiele nieporozumień. Większość ludzi wierzy, że przyjaźnie powinny być trwałe, na całe życie. Nie zawsze jest to możliwe lub nawet wskazane. Nie można na siłę podtrzymywać przyjaźni, gdyż mogą się one stać aktami hipokryzji.

Faktem jest, że człowiek ze swoim elastycznym i prężnym umysłem wyczerpuje przyjaźnie i uczucia.

Rozważny człowiek pamięta, że życie jest krótkie i od czasu do czasu krytycznie sprawdza swoje przyjaźnie. Niektóre pozostawia, ale bywa tak, że o wielu próbuje zapomnieć.

Bernard Shaw kiedyś powiedział: "Jedyny człowiek, który rozsądnie się zachowuje, to jest mój krawiec. Za każdym razem, kiedy mnie widzi, bierze ze mnie nową miarę. Wszyscy inni chodzą ze starymi wymiarami i oczekują, że one będą im pasowały".

Żyć znaczy zmieniać się. Ta zmiana dotyczy też formowania się nowych przyjaźni i eliminowania tych, które się przeżyły. Nie ma dwojga ludzi dojrzewających w tym samym tempie.

W młodości przyjaźnie szybciej ulegają rozpadowi niż w wieku dojrzałym. Kiedy stajemy się starsi, stają się one trwałe i doskonalsze.

Kiedy będziesz przeżywał trudne chwile i zauważysz, że coś zaczyna się chwiać w Twojej przyjaźni zastosuj opisane poniżej techniki. One to pomogą ocalić słabnącą przyjaźń.

1. Zlokalizuj defekt.
Spójrz na siebie. Zastanów się, z jakiego powodu zaczęły się nieporozumienia? Jak doszło do przykrych zdarzeń? Co złego się stało? Spytaj przyjaciela czym go dotknąłeś. Wysłuchaj uważnie. Ustal przyczynę zachwiania przyjaźni.

2. Przeproś, gdy nie masz racji.

Ludzie, którzy przyznają się do swoich błędów i przepraszają za nie, nie są wcale słabi. Wręcz odwrotnie, trzeba być silnym wewnętrznie, aby się przyznać do błędu.

3. Sprawdź, czy Twoje nerwice nie niszczą Twoich przyjaźni.

4. Sprawdź, czy nie stosujesz przestarzałych metod współżycia z innymi.

5. Sprawdź, czy nie masz zbyt wygórowanych potrzeb.

"Przyjaźń jest jak pieniądz: łatwiej ją zdobyć niż zatrzymać przy sobie" - tak napisał angielski poeta Samuel Butler.

Przyjaźń jest jak roślina, może czasem umrzeć śmiercią naturalną. **Przyjaźń na całe życie może być cudowna, ale zdarza się bardzo rzadko.**

Trzeba mieć wiele siły, żeby wybaczać, bowiem wybaczenie zawiera w sobie ogromną moc. Zmienia ono Ciebie jak i osobę Tobie najbliższą. Nienawiść zaś wyrządza wiele złego nienawidzącemu. Jeśli przebaczamy pozytywnie, przejmujemy inicjatywę. Są osoby, które nigdy nie mówią "przepraszam". Co należy wówczas zrobić? Najlepsza rada - wyjdź naprzeciw, okaż swą dobroć i wielkoduszność.

Przypomnij sobie, Bóg nie czekał aż Go przeprosimy, zanim przysłał nam swojego Syna. Nie czekał na naszą skruchę, na zmianę sposobu naszego życia. Okazał nam swą Miłość przez to, że wybaczył nam, mimo że na to nie zasługiwaliśmy, ani nawet o to nie prosiliśmy.

Utrzymuj przyjaźń z ludźmi wesołymi, inteligentnymi, o dobrym usposobieniu, takimi, którzy wzbogacają duchowo i wnoszą nowe informacje.

Jeden zgorzkniały charakter może wylać na Ciebie wiadro goryczy i zatruć cały Twój dzień.

Stare powiedzenia: "Z kim się zadajesz, takim się stajesz" albo "Znany jesteś z towarzystwa w jakim się obracasz" mają głęboki sens.

Rothschild kiedyś powiedział:

"Nigdy nie miej do czynienia z nieszczęśliwym miejscem albo pechowym człowiekiem. Widziałem wielu bardzo zdolnych i inteligentnych mężczyzn, którzy nie mieli butów na swoich nogach. Nigdy nie współpracowałem z nimi. Ich zalecenia brzmiały bardzo dobrze, ale nie potrafili z nich umiejętnie korzystać. Skoro nie mogą one przynosić im dobra, jak mogą być przydatne dla mnie". Jest w tych zdaniach wiele mądrości życiowej.

Dobieraj z rozwagą przyjaciół, towarzyszy, współpracowników. Przekonaj się co reprezentują sobą i czy to co mówią idzie w parze z ich czynami.

Nie wiąż się z ludźmi obsesyjnie narzekającymi, zrzędami, posępnymi domokrążcami, ludźmi przegranymi. Życie jest zbyt krótkie, aby tracić czas dla takich osób. Pozwól niech znajdą swoje koło przyjaciół, ludzi podobnych do siebie. Będą mogli sobie wspólnie narzekać, biadolić nad swoim losem, obwiniać z goryczą innych. **Twoje przyjaźnie powinny bogacić Cię pod każdym względem. Mają one pomagać w rozwoju Twojej osobowości, budzić chęć i radość do życia.**

Unikaj ludzi zgorzkniałych, nastawionych do wszystkiego pesymistycznie lub negatywnie.

Jeśli jesteś przełożonym w firmie, a zauważysz wśród swoich pracowników człowieka o takich cechach, próbuj z nim rozmawiać i zmienić jego nastawienie. Człowiek ten na pewno oddziaływuje negatywnie na innych i zaraża swoją chorobą. Jedno niezauważone zepsute jabłko, pośród wielu zdrowych, powoduje spore ubytki.

Ludzi, którzy negatywnie oddziaływują na środowisko należy unikać, a nawet dla dobra innych pozbywać się. Zwalniając człowieka z pracy należy uświadomić mu powód. Może to zmobilizuje go do pracy nad sobą.

Ktoś napisał: "Niektórzy krytycy są jak kominiarze, którzy gaszą ogień poniżej i wystraszają jaskółki z ich gniazd powyżej. Długi czas skrobią w kominie, pokrywają się sadzami i nic nie wynoszą poza workiem żużlu, a ze szczytu domu śpiewają jakby go zbudowali".

20. PODSTAWOWE POTRZEBY LUDZKIE

Dla każdego z nas istnieją cztery podstawowe potrzeby. Kiedy je poznamy lepiej będziemy rozumieli nasze zachowania. Łatwiej będziemy radzili sobie z ludźmi, którzy nam podlegają i tymi, których kochamy.

1. Chcę żyć. Jak długo? Wiecznie!

Długość życia nie jest jednakowa dla wszystkich. Jedni żyją bardzo długo, inni krócej. Nikt dobrowolnie nie chce umierać. Kiedy jesteśmy młodzi nie myślimy o śmierci. Często mówimy: Będę się martwił jak dożyję do 90-tki. I wszystko jest pięknie jeśli zabezpieczymy sobie starość, będziemy sprawni fizycznie i psychicznie, otoczeni bliskimi osobami. I choć nie możemy myśleć o śmierci, to jednak musimy pamiętać, że nie będziemy żyli wiecznie.

2. Chcę czuć się ważnym.

Każdy pragnie uznania, respektu, admiracji. Przypomnijmy sobie obrazek małego dziecka próbującego pływać w basenie lub budującego piękny zamek z piasku, które woła mamę, aby podziwiała jego umiejętności. Mama oklaskuje swoje maleństwo, głaszcze, całuje, wyraża słowami zachwyt. Dziecko jest dumne, promieniuje radością.

Dorośli są tacy sami. Oczywiście nie biegamy wokoło, otwarcie prosząc, aby ludzie nas podziwiali. Często robimy wrażenie na innych naszymi drogimi autami, wspaniałymi meblami, stopniami naukowymi, tytułami, futrami, biżuterią i diamentami.

Nie ma tu wielkiej różnicy między dziećmi a dorosłymi. Są tylko inne metody i rzeczy, którymi chcemy imponować. Młodociani często zdzierają gumę z opon przy ruszaniu sprzed znaku stop. Chcą przez to powiedzieć: "Proszę, patrzcie na mnie jakie mam auto".

18-letni morderca pokornie oddając się policji, powiedział: "Chciałem stać się głośny i sławny". Aby zwrócić na siebie uwagę odebrał innemu życie.

3. Chcę być kochany.

Każdy chce być kochany. Każdy poszukuje pewnej i permanentnej miłości. Jest wspaniale, kiedy kochamy i jesteśmy kochani. Są jednak ludzie, którzy oczekują miłości, a kiedy ona nadejdzie nie potrafią jej odwzajemnić.

Oczekujemy miłości ze strony rodziców, rodzeństwa, dalszej rodziny, a następnie osoby, z którą chcemy pozostać przez całe lata. Poczucie miłości, ciepła wyzwala w nas radość, chęć do działania i daje gwarancję bezpieczeństwa.

4. Chcę zmian i urozmaiceń.

Nikt z nas nie lubi monotonii, jednostajności. Nie chcemy popadać w rutynę. Szukamy ciągle czegoś nowego i wówczas stajemy się aktywni. Zmian i urozmaiceń dokonujemy poprzez telewizję, radio, teatr, filmy, wycieczki, wakacje, poznawanie nowych ludzi, rozmowy z nimi. Nowe bodźce inspirują nas do dokonywania czegoś innego. Czujemy się wtedy podnieceni i radośni.

Znając te cztery podstawowe pragnienia lepiej możemy zrozumieć własne zachowania.

21. POCZUCIE WŁASNEJ WARTOŚCI

Podstawą wszystkich sukcesów i cechą charakterystyczną dla ludzi sukcesu jest zdrowe poczucie własnej godności.

"Kiedy ktoś nie jest pewny siebie, zawsze potrzebuje aprobaty innych lub ich pomocy i jest załamany krytycyzmem z ich strony. Znaczy to, że nie posiada wewnętrznego kryterium oceny samego siebie. Jeżeli takiego człowieka nie akceptują, załamuje się; jeżeli go nie zauważają, przestaje egzystować, ale jeżeli go chwalą, znajduje się w siódmym niebie. Ma on słabe poczucie własnej wartości, chociaż może wydawać się osobą egotyczną, ponieważ zawsze poluje na pochwały. Mruczy z zadowolenia i pyszni się, kiedy je otrzymuje, rozkoszując się atmosferą aprobaty. Jednocześnie ukrywa swoje urazy, jeśli ona nie nadchodzi. Jego środek ciężkości nie znajduje się w nim samym, lecz w ludziach, którzy znajdują się dokoła niego". Są to zdania psychologa - M. Esther Harding.

Analizując zacytowany fragment stwierdzić trzeba, że nie można być zależnym od innych jeśli chodzi o poczucie własnej wartości. Musi ono wypływać z naszego wnętrza.

Jedni ludzie rodzą się z bardzo wieloma pozytywnymi cechami odziedziczonymi po rodzicach. Inni z niewielką ich liczbą. Późniejsze wychowanie kształtuje ludzkie charaktery. Ogromny wpływ mają tu rodzice, wychowawcy, środowisko. Dobre wzory, godne naśladowania mają pozytywny wpływ na jednostkę.

Dla każdego człowieka ważne jest, aby lubił sam siebie i był dumny z tego kim jest, co wykonuje, jak postępuje. Trzeba umieć rozmawiać ze sobą, przemawiać pozytywnie do siebie, a przede wszystkim kochać siebie.

Bywa, że dzieci z rodzin bardzo dobrze sytuowanych, inteligentnych, wykształconych stają się przegranymi. Nie chcą lub nie potrafią rozwijać się, działać i samodzielnie funkcjonować w społeczeństwie. Może to wynik zbyt cieplarnianej atmosfery w jakiej wzrastały, zbyt wielu przywilejów jakie otrzymywały.

Dzieci z zacofanych rodzin i biednych środowisk potrafią o własnych siłach zdobyć dla siebie bardzo wiele i wyrastać na wspaniałych ludzi sukcesu.

Doktor Nathaniel Branden - psycholog, powiedział: "To jest przykre, że sami nie potrafimy sformułować poczucia własnej godności albo tak się wyobcowaliśmy z tego uczucia i z różnych powodów nie możemy odizolować się od negatywnych przykładów, jakie otrzymaliśmy od rodziców. Czasami jest to nasza wina, brak nam uczciwości i poczucia odpowiedzialności. Bywa, że jesteśmy oceniani przez innych zbyt srogo albo też sami oceniamy się za surowo".

Nie spotkałem człowieka, który nie posiada jakichkolwiek elementów poczucia własnej godności.

Do życia trzeba podchodzić z optymizmem, radością i pewnością siebie. Wówczas będziemy nastawieni na osiąganie celów. Będziemy wzrastać w poczuciu własnej godności, rozwijać swój potencjał i zdolność zdobywania szczęścia.

Umiejętność cieszenia się, przeżywania radości pomaga w odczuwaniu własnej wartości. Im większe jest poczucie własnej wartości, tym lepiej jesteś przygotowany na przyjmowanie nowych rzeczy i łatwiej przychodzi się uporać z przeszłością. Jest to gwarancja sukcesu i powodzenia. Im większe masz poczucie godności, tym bardziej ambitny będziesz w sprawach finansowych, zawodowych, w twórczym i duchowym wymiarze. Na zasadzie podobieństwa przyciągania do siebie będziesz zdolny tworzyć wzbogacające Cię związki.

Poczucie własnej wartości jest fundamentem Twojego stosunku do innych ludzi. Będziesz ich traktował z dużym respektem, życzliwie i przyjaźnie.

Poczucie własnej godności należy wzmacniać już u małych dzieci. Kiedy czują, że są kochane, że dobrze spełniają swoje obowiązki i otrzymują za to uznanie, stają się dumne i radosne. Człowiek dorosły nie może być pasywny. Nikt nie może za nas oddychać, myśleć, jeść, wprowadzać do serca miłości i zaufania. Możesz być kochany przez najbliższych, mieć przyjaciół, ale nie potrafisz kochać siebie. Możesz być podziwiany przez kolegów, znajomych, a równocześnie mieć uczucie, że jesteś bezwartościową osobą. Na zewnątrz będziesz demonstrował swoje bezpieczeństwo, siłę, ale wewnątrz będziesz drżał i bał się, że Twoje słabe cechy zostaną zdemaskowane.możesz spełniać oczekiwania innych ludzi, ale nie będziesz mógł tego zrobić w stosunku do siebie. W końcu możesz uzyskać honor, zaszczyty i aplauz od milionów ludzi, a wewnątrz mieć pustkę, beznadziejność i uczucie, że niczego nie dokonałeś.

Poczucia własnej godności nie dadzą Ci oklaski ani wiedza, umiejętności, majątek, małżeństwo, plastyczna operacja twarzy, itd. Tragedia wielu ludzi polega na tym, że szukają oni pewności i poczucia własnej wartości dookoła siebie, zamiast we własnym wnętrzu.

Pozytywne poczucie własnej godności rozumiem jako duchowe osiągnięcie, w wyniku którego dokonuje się ewolucja świadomości.

U ludzi, których określamy "przegranymi", niskie poczucie własnej wartości wydaje się być przyczyną ich problemów.

Badania jakie robiono na terrorystach, którzy porywają samoloty, na zabójcach atakujących dostojników świata, wykazują że są to osobnicy z wyjątkowo niskim poczuciem własnej wartości. Najczęściej ludzie ci żyli samotnie.

Człowiek, który nie ma poczucia swojej wartości, nie ma żadnych względów dla innych, pała nienawiścią zamiast miłością, a radość przynosi mu śmierć niewinnych ludzi. Robi to często po to, aby stać się głośnym w środkach masowego przekazu. To istna tragedia. Ci, którzy rabują cudze mienie, znęcają się nad rodziną niszczą i poniżają innych. Demonstrując okrucieństwo chcą pokazać swą siłę. Tacy ludzie, jak: Maria Skłodowska Curie, Beniamin Franklin, Thomas Edison, Matka Teresa, Jonas Salk wykazali wielkie poczucie własnej godności i chęć przekazywania swoich usług innym.

Studiowanie ludzi sukcesu potwierdza, że kluczowym składnikiem ich osobowości jest poczucie własnej wartości.

Podróżnicy, którzy nie wierzą w siebie mają nikłe sukcesy, o ile w ogóle uda im się ruszyć z miejsca.

Dyrektorzy, kierownicy, którym brak poczucia własnej wartości nie są w stanie wybić się i tkwią ciągle na tej samej pozycji zadawalając się papierkową robotą.

Ci, którzy odnoszą zwycięstwa wiedzą, że rozwój własnej osobowości jest programem na całe życie.

Kiedy byliśmy mali ciągle słyszeliśmy co możemy robić, a czego nie (zakazy, nakazy). Stale przypominano nam o brakach. Tego typu bombardowanie może prowadzić do kłopotów w wieku młodzieńczym, do braku komunikatywności między pokoleniami, a nawet do rozłamu.

Patrząc na swoje dzieciństwo możesz przeżywać pewien rodzaj bólu, gniewu, zawstydzenia, zaambarasowania pamiętając ciągłe strofowania i napominania. Powinieneś odrzucić to wszystko, gdyż jest to Twoje obciążenie. Ono Ci przeszkadza.

Spróbuj zamknąć oczy. Nabierz kilka głębokich oddechów, zrelaksuj się, rozluźnij ciało. Wyobraź sobie, że idziesz wiejską drogą. Oddychasz głęboko, czujesz zimny wiatr na twarzy. W pewnej chwili zauważasz rozłożyste ogromne drzewo. Kiedy podchodzisz bliżej dostrzegasz pod nim siedzące dziecko. Przypominasz sobie, że kiedyś byłeś zupełnie podobny do tego malucha. Patrzycie na siebie. Jak się czujesz w tym momencie? Co chciałbyś zrobić? Usiąść przy dziecku, patrzeć mu w oczy i rozmawiać z nim? Co możecie sobie wzajemnie powiedzieć?

Czy nie odczuwasz, że w Twojej psychice zawsze istnieje dziecko, że wywiera ono wpływ na Twoje dorosłe życie?

Kiedyś czytałem informacje na temat tubylców w Południowej Ameryce dotkniętych przedwczesnymi zgonami. Stwierdzono, że przyczyną śmierci była choroba powodowana ugryzieniem przez insekty żyjące w ich domach. Mieszkańcy mieli kilka możliwości rozwiązań tego problemu. Mogli wyniszczyć insekty trucizną lub zniszczyć domy i przenieść się w nowe miejsce albo pozostać i czekać aż wszystko wróci do normy. Tubylcy pozostali na miejscu. Nie byli zdolni do podjęcia zmian, nie potrafili przeciwstawić się istniejącej sytuacji.

Wielu ludzi cechuje podobna postawa do wyżej opisanej. Z jednej strony zdają sobie sprawę, że nowa wiedza może przynieść zmiany, a z drugiej strony boją się jej i przeciwstawiają się tym zmianom. Mają świadomość, że wielu ludziom udało się pokonać na swej drodze trudności, ale im nie może się to przydarzyć. Koncentrują się na swoich niepowodzeniach i negatywnych zjawiskach, wydarzeniach z życia, zamiast wyrzucić je z pamięci. Poprzez odtwarzanie ich dokonują ciągłego wzmacniania w umyśle.

Ważne jest, abyś oceniał sam siebie pozytywnie i dostrzegał swoje wartości, a posiądziesz ich bardzo dużo.

Wielu ludzi uważa, że szlachetną rzeczą jest być biednym, bo bieda prowadzi do duchowej czystości. Wyczytali z Pisma Świętego, że pieniądz bowiem jest przyczyną wszystkiego zła. Interpretują to błędnie. Nie pieniądz, ale zbytnia miłość do pieniądza jest przyczyną wszelkiego zła.

Dr Jack Canfield, znany i ceniony psycholog, opiekun mistrzów olimpijskich, stwierdził, że znaczny procent Amerykanów cierpi na kompleks niższości. Mają oni niskie poczucie własnej wartości.

Zauważył, że 80% dzieci uczęszczających do przedszkola i do pierwszej klasy mają doskonałe poczucie własnej wartości, dumy. Kiedy dzieci te dochodzą do piątej klasy maleje on do 20%. W szkole średniej już tylko 5% tych dzieci wykazuje dobre poczucie własnej wartości. W przedziale wiekowym między szóstym a szesnastym rokiem życia 75% naszych dzieci traci poczucie własnej wartości, godności i dumy. Jest to niepowetowana strata najlepszych naturalnych bogactw tkwiących w człowieku.

Ciekawe zjawisko zaobserwowano w grupie emigrantów przybywających z Azji do Ameryki. Ludzie ci znajdują tu tak dużo wolności, że doskonale się rozwijają, realizują swoje zamierzania, pomysły, wszystko na czym się skoncentrują.

W badaniach prowadzonych w San Francisco na tysięcznej grupie studentów, stwierdzono, że Amerykanie pochodzenia azjatyckiego osiągają systematycznie lepsze stopnie niż ich koledzy z innych grup norodowościowych, jak i rodzimych Amerykanów. W badaniach pominięto poziom wykształcenia rodziców studentów, jak również socjalne i ekonomiczne uwarunkowania.

W szkołach podstawowych przeprowadzono badania porównawcze wśród uczniów amerykańskich, pochodzących z rodzin chińskich, japońskich i tajwańskich.

W matematyce Amerykanie mieli dużo gorsze wyniki na wszystkich poziomach. Natomiast w testach na inteligencję nie zauważono żadnych różnic między tymi dziećmi.

Amerykanie przypisują sukces swoich dzieci głównie ich talentom. Natomiast rodzice dzieci innych grup narodowościowych stwierdzili, że wynik ten przypisują ich wytężonej pracy.

Jeśli dziecko ma wewnętrzne przekonanie, że jest w stanie sprostać wysokim wymaganiom, to w życiu dorosłym będzie spełniało te oczekiwania.

O jakich zasadach powinieneś pamiętać, aby nie zatracić poczucia własnej godności.

1. Powinieneś być świadomy tego, że posiadanie czy brak poczucia własnej godności znajduje się u korzeni wszystkich zachowań tak pozytywnych jak i negatywnych.

Naucz się kochać siebie, łatwiej Ci będzie spędzać czas z samym sobą.

2. Pamiętaj, że na poczucie własnej godności składają się Twoje wartości i zaufanie do siebie.

Wartość własna jest prostym uczuciem bycia zadowolonym z tego, że jesteś sobą, ze swoimi genami, ciałem i pochodzeniem.

Zaufanie do siebie, to funkcjonalne przekonanie do własnej zdolności pozytywnego i efektywnego kontrolowania tego co dzieje się w świecie niepewności. Musisz mieć takie zaufanie do siebie, aby nie przeżywać lęku w sytuacjach niejasnych.

81

3. Miej świadomość tego, że żadna opinia ani sąd innych nie jest tak istotny dla Twego wzrostu i osobistego rozwoju, jak to co Ty myślisz o sobie.

Żadne najlepsze rady, rozmowy, instrukcje, wykłady nie zastąpią tego, co rodzi się w zaciszu Twojego własnego umysłu.

4. Pamiętaj, że żadne oczy nie są w stanie dojrzeć i skrytykować filmu o Tobie, Twojego zdjęcia, odbicia w lustrze, gdy wychodzisz z kąpieli, tak ostro i dokładnie, jak Twoje własne oczy. Zrób wysiłek, abyś czuł się dobrze z Twoim fizycznym ciałem, wyglądem zewnętrznym, ubiorem i myślami. Jeśli nie czujesz się z nimi dobrze podejmij się korekty, wyeliminuj to z czego nie jesteś zadowolony, wprowadź zmiany, które będą dla Ciebie satysfakcjonujące.

5. Miej przekonanie, że możesz być dla siebie najgorszym wrogiem albo najlepszym przyjacielem.

Ty sam trzymasz klucz do osobistego sukcesu i szczęścia.

22. SZCZĘŚLIWY ZWIĄZEK

Zaloty, narzeczeństwo, małżeństwo mają swoje fundamenty w miłości i wzajemnym szacunku.

Lata spędzone razem będą szczęśliwe, kiedy partnerzy nie traktują się wzajemnie jak własność, kiedy wnoszą w związek ciągle coś nowego, dobrego, świeżego.

Okazywanie sobie grzeczności, szacunku, uprzejmości, troskliwości jest nieodzowne w stosunkach dwojga kochających się istot. Często cechy te wymagają pracy nad sobą, ale ten wysiłek przynosi powodzenie i wewnętrzną radość. **Grzeczność jest wielką zaletą.**

Szczęśliwy związek można porównać do ogródka z pięknymi kwiatami, który otaczany jest pieczołowitą troską. To co włożyłeś, a więc wysiłek, pracę, zainteresowanie, zdobytą wiedzę obfituje oraz raduje Twoje serce. **Jeśli dajesz, to i otrzymujesz.** Jest to prawo przyczyny i skutku. To samo odnieść można do każdej pracy, biznesu, małżeństwa, przyjaźni, całego życia ludzkiego.

Wyrozumiałość, tolerancja i zaufanie są bardzo ważnym elementem w trwałości związku. Należy akceptować pewne rzeczy z przymrużeniem oka i uśmiechem. Utyskiwanie, gderanie, podejrzliwość wprowadzają niesmak, zdenerwowanie. Prowadzą do niszczenia uczuć, a stopniowo i rozpadu najlepszego związku serc. Unikać należy tego co powoduje osłabienie uczuć, a poszukiwać ciągle nowych elementów, które wzmacniać będą fundamenty solidnej skały pod miłość. Miłość wymaga ciągłej pielęgnacji, świeżej pożywki, podsycania. Nie może ona obumierać. Musi być ciągle świeża i żywa. Nie jest to tak bardzo trudne, choć wymaga niejednokrotnie wielu wyrzeczeń i ustępstw.

Jeśli w związku dwojga ludzi pojawią się dzieci, wszystkie te cechy nabierają podwójnego znaczenia, bowiem rodzice własną postawą, wzajemnym stosunkiem do siebie stają się wzorem dla nich. Dzieci wychowane w atmosferze szacunku, grzeczności, uprzejmości, tolerancji, wyrozumiałości, zaufania, serdeczności, ciepła odpłacają tym samym, a w wieku dojrzałym przenoszą te cechy na swoich życiowych partnerów.

Jeśli Twój związek zaczyna się rozsypywać spróbuj przeanalizować sytuację i zastanowić się czego w nim zabrakło. Staraj się wyeliminować te składniki, które niszczą Ciebie i partnera, a wprowadzić to, co może odnowić i podsycić waszą miłość i wzajemny stosunek.

Mądrość, właściwe użycie energii psychicznej wymagają, abyś kochał i tak postępował, aby Ciebie kochano.

Potrzebujesz wymiany energii psychicznej z inną energią. Jeśli energia psychiczna, którą kierujesz ku innym jest pozytywna, powróci do Ciebie pozytywna na podobieństwo światła świecącego w lustrze. Jeśli będzie Twoja energia psychiczna negatywna, naładowana nienawiścią, zazdrością, pożądaniem, rywalizacją, to jakże nie miałaby obrócić się przeciwko Tobie, dosięgnąć Ciebie. Dlatego wysyłaj ku innym tylko energię pozytywną. Tą energią jest przyjaźń i miłość. Miłość jest podobna do urodzajnego drzewa, które daje owoce.

23. CZYM JEST HUMOR

Śmiech i uśmiech to uniwersalny język ludzkości. Nie ma człowieka, który nie reaguje na uśmiech dziecka lub przyjacielski dowcip. Powinniśmy podchodzić do życia z dużym optymizmem, humorem, a czasem nawet beztrosko. Humor daje uczucie przyjemności i może działać uzdrawiająco. Znany pisarz Norman Cousins zalecał humor jako środek terapii w pokonywaniu różnych chorób. Leżąc w szpitalu godzinami oglądał komedie telewizyjne, które z powodzeniem zastępowały leki uśmierzające ból. Jego książka "Anatomy of Sickness" (Anatomia choroby) stała się obowiązkową lekturą na wydziale medycznym Uniwersytetu Harvard.

Humor można stosować dla poprawy zdrowia, a także w celu duchowego rozwoju.

E. Cayce zalecał, aby każdego dnia pobudzać do serdecznego śmiechu ludzi z bliskiego otoczenia. Można to zrobić opowiadając dowcip, jakąś wesołą historyjkę lub przygodę z własnego życia.

Poczucie humoru daje radość i zadowolenie bez względu na to, gdzie i w jakich warunkach żyjesz.

Humor jest odzwierciedleniem szczęśliwej duszy, sposobem i środkiem do dzielenia się radościami z innymi. Jest potężną i twórczą siłą.

Pozwól, aby zadowolenie i wesołość stały się Twoimi przyjemnościowymi nawykami i sposobem na życie.

Jak ja zabrałem się do rozwijania mojego poczucia humoru?

Był okres, że zbyt poważnie brałem siebie i otaczający mnie świat. Innym razem wybuchałem śmiechem i radością. Zrozumiałem, że serdeczny śmiech przynosił mi ulgę. Czułem się wtedy bardzo dobrze. Po radosnym śmiechu moje ciało czuło się doskonale. Śmiech odczuwałem jako wewnętrzny masaż.

Kiedy zbyt poważnie traktuję siebie staję się bardzo komiczny. Humor równoważy krańcowość mojego życia. W momencie, gdy "ego" zostaje zranione lub nadęte i kiedy wpadam w niż depresyjny uśmiech i radość potrafią stworzyć przeciwwagę.

Humor bywa błogosławieństwem i pozwala śmiać się z siebie. Humor i radość rodzą się wewnątrz nas. To co jest w umyśle i sercu odzwierciedlają oczy, usta i twarz. Uśmiech jest jedną z największych wartości życia, czyniącą niejednokrotnie cuda. Uwalnia od napięć, umacnia więzi rodzinne, przyjacielskie, towarzyskie. Dokonuje wewnętrznej transformacji. Tworzy pozytywne nawyki. **Uśmiech kosztuje niewiele, a w zamian ofiaruje tak dużo. Wyraża humor, zadowolenie i rozwija się w radość. Radość zaś jest potężną siłą twórczą.** W mojej twórczej wyobraźni pokazuję jak pozytywnie reaguje świat na mój uśmiech i ciepły humor. Wyobrażam sobie jak świetnie wyglądam i czuję się doskonale, kiedy się uśmiecham . **Śmiech jest pozytywnym symbolem szczęścia. Radość jest emblematem mojego życia. Śmiech buduje miłość i potwierdza człowieczeństwo.**

Pamiętaj, że twarz przeznaczona jest do oglądania przez innych, dlatego powinna mieć przyjemny i radosny wyraz. Twarz człowieka to coś więcej niż piękna fasada, szyld czy wizytówka. Zadbaj więc o nią, aby cieszyła swym wyglądem innych. Pielęgnacja twarzy wcale nie polega na tym, aby nakładać na nią kosmetyki, regulować brwi, malować rzęsy, powieki czy też golić ją. Dokonywać tego musimy od wewnątrz napełniając oczy radością i światłem, usta zaś głębokim uśmiechem.

Jeżeli zatroszczysz się o ład w swoim sercu, wyrzucisz z niego wszystko to co Cię złości i martwi, pozbędziesz się równocześnie nieprzyjemnego grymasu twarzy. **Posępna mina, smutna twarz postarza Cię i nie dodaje uroku. Pokazuj twarz tryskającą dobrocią i serdecznością wówczas przekonasz się, że będziesz lubiany i kochany.** Każdy człowiek pragnie i potrzebuje ciepła i miłości. Dlatego też emocjonalne i duchowe pożywki płynące ze związku z innymi ludźmi są niemal błogosławieństwem. Dobre samopoczucie jest naturalnym lekarstwem na napięcia, stresy i wątpliwości.

W wielu przypadkach do naszego życia zakrada się lęk. Wypływa on z różnych obaw, niepewności. Powstaje pod wpływem krytyki. Bywa często powodem samotności. Lęk może powodować wybuchy gniewu, nudy, depresji co prowadzi do pogłębienia załamania i zupełnej izolacji. Samotność jest stanem umysłu i budowaniem mostów łączących nas z innymi jest najlepszym dla niej rozwiązaniem.

Ważnym elementem w naszym życiu jest to, jak patrzymy na siebie i jak się do siebie odnosimy. **Każdy powinien kochać i szanować siebie, a wówczas taki sam stosunek będziemy mieli do innych. Będziemy wtedy odbierali ciepło i szacunek od ludzi.**

Dr Leo Buscaglia w książce, która stała się bestsellerem "Living, Loving And Learning" napisał: **"Kiedy nie lubisz sceny, na której jesteś, kiedy jesteś nieszczęśliwy, samotny i nie czujesz, aby się coś na niej działo, dokonaj jej zmiany. Namaluj nowe tło, otocz się nowymi aktorami. Napisz nową sztukę i jeśli okaże się, że nie jest dobra wyrzuć ją i pisz inną".** **Wielką sztuką jest nauczenie się kochania własnej osoby. Jest to pierwszy krok w stronę miłości do innych.** Dostrzeganie piękna w sobie i w innych ludziach jest nieodzownym elementem naszego życia. Obdarzając miłością będziemy ją przyciągać.

24. ZACHOWAJ RÓWNOWAGĘ W KAŻDEJ DZIEDZINIE ŻYCIA

Jeśli jesteś kierowcą, wiesz doskonale, o ile mniej energii potrzebuje Twój samochód, kiedy są w nim wyważone koła. Podobnie jest z każdym z nas. Żyjemy szczęśliwsi, lepiej funkcjonujemy wówczas, kiedy nasze działania, cele, poczucie wartości są wyrównane i zdążają w tym samym kierunku.

Dla każdego człowieka bez względu na wiek ważne jest, aby miał cel w swoim życiu, do którego będzie zmierzał, aby wiedział co chce robić, co pragnie osiągnąć. Jest to bardzo istotne, bowiem mając jasno sprecyzowane swoje marzenia koncentrujemy się na tym, jak je osiągnąć. Jesteśmy wówczas aktywni, działamy, podążamy do wyznaczonego punktu. Zachowujemy równowagę w każdej dziedzinie życia. Powstająca harmonia wprowadza w nasze życie spokój i radość.

Jeśli w Twoim aucie koła nie są prawidłowo ustawione zauważysz, że w czasie jazdy ściąga Cię, odczuwasz wibracje. Przy dłuższej jeździe zaczniesz zdzierać opony i nadwyrężać łożyska kół. W końcu może to doprowadzić do wypadku.

W Twoim życiu pojawią się kłopoty, jeśli nie będziesz odpowiednio ukierunkowany. To uwidoczni się w życiu rodzinnym, w pracy. Tak, jak źle ustawione koła w samochodzie mogą spowodować nieszczęście, tak i wibracje w Twoim życiu będą powodować stresy, lęki i to wszystko uczyni Cię nieszczęśliwym.

Należy pracować nad sobą, wyrównywać i wyważać swoje myśli, uczucia, emocje, cele, dążenie, działania. Natura wymaga pełnego balansu, równowagi we wszystkich rzeczach. Spójrz na pełną harmonię i równowagę gwiazd we wszechświecie, funkcjonowania komórek w ciele człowieka.

Jeśli zakradnie się najmniejsze zaburzenie, któregokolwiek z systemów, od razu jesteśmy świadkami powstawania zmian, często bardzo dotkliwych i bolesnych.

Całe nasze ciało ze wszystkimi narządami działa sprawnie i bez zakłóceń, wówczas kiedy jest utrzymywane w równowadze. Jeśli nastąpi najmniejsze zachwianie odczuwamy ból, lęk.

Emocjonalnie nastawiony jesteś na odczuwanie szczęścia i przyjemności. Posiadasz naturalny barometr w sobie, który sygnalizuje Ci co robisz właściwie, a co nie.

Twój zewnętrzny świat jest refleksją Twojego wewnętrznego świata. I wszystko cokolwiek staje się na zewnątrz, występuje jako wynik czegoś, co powstało wcześniej wewnątrz Ciebie.

Stosunek do otoczenia, postawa, ilość pieniędzy jaką posiadasz, zdrowie są zdeterminowane głównie sposobem Twojego myślenia, tym co czujesz i jak reagujesz na świat wokół siebie. Jesteś odpowiedzialny za zewnętrzne aspekty życia . Możesz kontrolować wewnętrzne nastawienie, swój umysł.

Musisz pracować nad zachowaniem równowagi. Twój wewnętrzny świat powinien być zgodny z tym co chcesz odczuwać, doświadczać w kontaktach z zewnętrznym światem.

Pozytywne umysłowe nastawienie do siebie, do swoich wzlotów i upadków jest miarą zdrowia psychicznego.

Ludzie, którzy są nastawieni do wszystkiego pesymistycznie i negatywnie, widzą tylko ujemne strony życia, ciągle czują się pokrzywdzeni, zawiedzeni. Dłuższe trwanie w takim stanie doprowadza do negatywnego myślenia i działania. Osoby takie będą widziały świat przez pryzmat soczewek zabarwionych na czarno i zaczną ściągać na siebie nieszczęścia.

Rozglądaj się za ludźmi pogodnymi. W trudnościach nie załamuj się, bądź przekonany, że zawsze znajdzie się pomyślne rozwiązanie. Podejmuj kontrolę własnego świadomego umysłu. Zobaczysz świat w jasnych kolorach. Będziesz konstruktywny i optymistyczny.

Istnieją dwie główne dziedziny równoważenia, które będą Cię dotykały. To strona fizyczna i emocjonalna. Musisz ustawić swoje zachowania tak, abyś mógł się cieszyć dobrym stanem zdrowia, dużą energią i witalnością. Nawet najbogatszy człowiek świata będzie się czuł ubogo w momencie, kiedy opuszczą go siły, kiedy straci zdrowie. Szanuj zdrowie jak święty obiekt.

Wiele lat wstecz dokonano eksperymentalnych badań na populacji ośmiu tysiącach mężczyzn, którzy cieszyli się długowiecznością. Eksperyment trwał 20 lat. Chodziło o ustalenie co wpływa na długość życia. Stwierdzono, że składa się na to aż siedem rzeczy. Są to: regularne jedzenie, lekkostrawne posiłki, jedzenie z umiarem, nie palenie papierosów, spożywanie alkoholu w bardzo umiarkowanych ilościach lub całkowita abstynencja, nocny sen w granicach 7 do 8 godzin, regularne ćwiczenia fizyczne.

Ludzie, którzy jadali nieregularnie, do tego posiłki ciężko strawne, mieli kłopoty ze zdrowiem. Czuli zmęczenie, chorowali znacznie częściej niż osoby przestrzegające diety. Zapadali na częste obstrukcje. Mieli kłopoty z zasypianiem.

Dzisiaj doskonale zdajemy sobie sprawę. że tłuszcze, cukier, sól nie są wskazane do spożywania. Powinniśmy jadać dużo owoców, jarzyn, pełnoziarnistych produktów, nie skażonych. Proteiny wpływają bardzo korzystnie na nasze zdrowie. Ponadto dziennie powinniśmy wypijać 8 szklanek czystej, świeżej wody. To pomaga w przemianie materii, w trawieniu.

Są ludzie, którzy lubią dojadać między posiłkami. Jest to bardzo brzydki nawyk i wręcz zabójczy dla organizmu. Nasz żołądek i jelita muszą mieć czas na trawienie. Ciągłe obciążanie żołądka pokarmami powoduje ociężałość, otyłość.

Palenie jest szkodliwe dla całego organizmu i przyczynia się do rozwijania wielu chorób. Najgroźniejszą z nich w obecnej chwili jest rak dróg oddechowych i płuc.

Drugim groźnym wrogiem człowieka obok nikotyny jest alkohol. Powoduje zmiany w mózgu. Staje się powodem wielu tragedii w rodzinach. Przyczynia się do poważnych wypadków samochodowych. Wypoczynek, relaks, to istotna sprawa dla organizmu. Zupełnie pełny wypoczynek następuje w czasie zdrowego, spokojnego snu. Pozwala to na pełne zregenerowanie systemu obronnego. Przyczynia się do dobrego zdrowia.

Przemęczenie sprawia, że nasz system obronny jest osłabiony i stajemy się podatni na wiele chorób i niedomagań psychicznych i fizycznych.

Przestrzeganie higieny snu sprawia, że system nasz zachowuje równowagę konieczną do prawidłowego funkcjonowania organizmu. Ważne są regularne ćwiczenia gimnastyczne. Przynoszą one lepsze samopoczucie, pomagają w krążeniu krwi, trawieniu, sprawiają, że śpimy doskonale i jesteśmy spokojniejsi. A poprzez to czujemy się szczęśliwsi i nabieramy pozytywnych nastawień.

Do tego wszystkiego dodać jeszcze należy przebywanie na świeżym powietrzu każdego dnia, choćby przez kilkanaście minut. Dla lepszego trawienia, dotlenienia płuc i mózgu potrzebne są nam głębokie oddechy.

Przed każdym zdarzeniem, kiedy czujesz się podenerwowany spróbuj wziąć kilka głębokich oddechów, to bardzo pomaga i rozluźnia. Powoduje, że czujesz się pewniej i jesteś zdolny do opanowania sytuacji w jakiej się znajdujesz bez wielkich emocji. Następuje tu wyrównanie, zrównoważenie Twojego wewnętrznego świata z tym, co dzieje się na zewnątrz, wokół Ciebie.

Kiedy jesteś zmęczony, wyprowadzony z równowagi lub najadłeś się zbyt dużo i masz przeciążony żołądek - emocje, poziom energii, będą niewłaściwie oddziaływały na Twoje zachowania i działania.

Umysł ma ogromny wpływ na nasze ciało. Badania wykazały, że 80% chorób ma podłoże emocjonalne. Dlatego też ważna jest równowaga emocjonalna. Kiedy czujesz się spokojny, masz zaufanie do siebie, jesteś zrelaksowany, pogodny i zadowolony ze wszystkiego. Jeśli zaś jesteś wytrącony z równowagi czujesz się nieszczęśliwy, napięty, niespokojny, zagniewany, negatywnie nastawiony do ludzi i sytuacji. Do każdego masz pretensje, a nawet popadasz w stany depresyjne.

Każdy człowiek ma obraz samego siebie i własne koncepcje na życie. Dotyczą one warunków życia, domu, samochodu, dochodów, rodzaju wykonywanej pracy, zdrowia, wyglądu zewnętrznego, wagi ciała, sprawności fizycznej i umysłowej, powodzenia, itd.

Działania zewnętrzne będą zgodne z tym obrazem i koncepcjami, jeśli człowiek zdaje sobie z tego jasno sprawę. Musi zachodzić równowaga między światem wewnętrznym a zewnętrznym. Na równowagę tą mają wpływ:

1. Idealny obraz samego siebie.
2. Poczucie własnej godności.
3. Samoocena.

Ideał Twojej osoby składa się z kombinacji wielu wartości jakie najbardziej podziwiasz u siebie i innych ludzi. Jeżeli masz jasno skonstruowany ten ideał i pracujesz nad jego kształtem, na pewno osiągniesz to, do czego zmierzasz. Pomocne w tym mogą być opisy samego siebie w oczach bliskich Ci osób albo znalezienie dwóch, trzech określeń przymiotnikowych dotyczących własnej osoby, jakie życzyłbyś sobie na płycie grobowej po śmierci.

Musisz dostrzegać swoje wartości i uszeregować je w porządku ważności. Ponadto powinna zachodzić równowaga pomiędzy tymi wartościami a celami i działaniem. Jeśli nastąpi jej brak, a nawet niewielkie zachwianie, spowoduje to emocjonalne stresy. Staniesz się nerwowy, zawiedziony, będziesz popadał w gniew i irytację z błahego powodu. Mogą nawet wystąpić bezsenne noce oraz skłonności do zapadania na choroby.

Zawsze działasz na zewnątrz w zgodzie z tym, jaki masz mentalny obraz samego siebie wewnątrz, to znaczy, jak siebie widzisz. **Im bardziej życie jest w zgodzie z Twoimi wartościami i ideałami, tym lepiej będziesz zintegrowany. Twoje działania będą doskonalsze we wszystkim czego się podejmiesz.** Jednak w tym co robisz musi być poczucie własnej godności. Jeżeli będziesz miał szacunek dla siebie, to będziesz go miał i dla innych. Równocześnie i Ty będziesz szanowany. Musisz mieć wyrobioną opinię o własnym stosunku do siebie, czuć respekt dla samego siebie. Poczucie respektu jest rzeczywistą miarą i monitorem własnej osobowości.

Kiedy Twoje zachowanie zewnętrzne, najwyższe wartości i ideały są zgodne ze sobą, poczucie respektu dla siebie wzrasta. **Jeśli** akceptujesz siebie, to jesteś ze sobą w zgodzie i stajesz się szczęśliwy. Uzewnętrzniasz to zadowoleniem i radością. Czujesz się wspaniale.

Ale kiedy Twoje słowa rozmijają się z czynami i zachowanie nie potwierdza prawdomówności, odczuwasz niezadowolenie. Następuje brak równowagi. Zastanów się nad sobą. Przemyśl kim jesteś i kim chciałbyś być. Dokonaj samooceny siebie. Sprawdź zbieżność słów z zachowaniem i czynami. Zajmie Ci to trochę czasu, ale włożony wysiłek w utrzymanie balansu między sobą, a zewnętrznym światem szybko zaowocuje.

25. ZMIANA ŻYCIA, TO ZMIANA SPOSOBU MYŚLENIA

Każdy zdrowy człowiek posiada zdolność kontrolowania własnych myśli.

Jeśli pracujesz i produkujesz przeróżne pomysły, które później realizujesz w działaniu, to bardzo pozytywny obraz.

Gorzej, kiedy pozostajesz bierny i pozwalasz, aby myśleli za Ciebie rodzice, nauczyciele, środki masowego przekazu, ludzie, którzy Cię denerwują, itd.

Pamiętaj, wybór należy do Ciebie. Od niego zaś zależy Twoje życie.

Jeśli kierujesz się własnymi myślami, pomysłami, to na pewno wiążą się one z wizją przyszłości, z tym czego pragniesz.

W momencie, gdy robią to inni za Ciebie godzisz się na warunki jakie oni tworzą.

Przynajmniej raz dziennie musisz w swoich medytacjach stać się panem własnego życia. Uważnie ustaw się w centrum Twego duchowego środka ciężkości i bądź gotów do podjęcia działań twórczych.

Słuchasz wiadomości radiowych, telewizyjnych, czytasz gazety, docierają do Ciebie żądania, informacje Twoich pracodawców, itd, itd. Czy przyjmujesz i akceptujesz to wszystko? Na pewno nie. Zawsze masz możliwość wyboru. Jesteś istotą myślącą.

Ustawiłeś się w centrum własnego bytu, możesz kontrolować swoje myśli. Możesz czytać wiadomości i mówić do ludzi, ale nie musisz odbierać tego co oni mówią. Kultywuj własne przekonania, rozwijaj opinie, lecz z umiarem, abyś nie uchodził za przemądrzałego, takiego, który wszystko wie najlepiej.

Przekonania i opinie potrzebne są do rzeczywistej kontroli nad własnym życiem, do zdyscyplinowania swojego umysłu. Ważną częścią kontrolowania myśli jest ocena tego co widzisz, jak dostrzegasz rzeczy. Dlatego szukaj dobra, wszystkie rzeczy oglądaj w świetle Prawdy. Kiedy patrzysz na sprawy z właściwej perspektywy, przyjmujesz panowanie nad nimi. Pozwalasz im wejść na określonych warunkach do świadomości.

Istnieje zróżnicowanie między myśleniem "myślami", o których chcesz myśleć, a stosowaniem powierzchownej praktyki pozytywnego myślenia.

Emerson powiedział: "To czym jesteś tak emanuje z Ciebie i krzyczy, że nie mogę słyszeć tego co mówisz przeciwnego".

Kontrolowany umysł nigdy nie powinien posiadać negatywnych myśli.

Ktoś powiedział: "Może nie jesteś zdolny powstrzymać ptaki od fruwania nad twoją głową, lecz możesz nie dopuścić do tego, aby zbudowały gniazdo w twoich włosach".

Nie zawsze potrafisz utrzymać umysł wolnym od negatywnych myśli, ale możesz kontrolować sytuację.

Ludzie dają się czasami wciągać w negatywny sposób myślenia poprzez własne współczujące podejście do życia. Zdarza się, że ktoś bliski lub znajomy ma duży kłopot, zmartwienie i Ty natychmiast czujesz się w obowiązku cierpieć razem z nim.

Czytasz codzienną prasę, oglądasz programy telewizyjne i zapewne dostrzegasz, że szerzy się wiele zła w świecie. Panuje niesprawiedliwość. Ludzie cierpią, przeżywają ból, rozterki. Tylko pesymista może być ślepy i głuchy na to wszystko.

Ty również masz swoje własne problemy, często bardzo trudne. Nie możesz załamywać się. Musisz śmiało szukać rozwiązania i podjąć decyzję, aby zlikwidować kłopoty.

Czytając biografie ludzi sławnych, znanych z różnych osiągnięć dowiadujemy się, że dostawali oni często mocne bicie. Trudne doświadczenia mobilizowały ich do zwiększonego wysiłku myślowego, do działania. Dzięki temu osiągali sukcesy.

Willam Ernest Henky znalazł się w szpitalu przykuty do łóżka nieuleczalną chorobą. I wówczas napisał klasyczne wyznanie: "**Jestem panem mego losu. Jestem kapitanem mojej duszy**".

Henky nie identyfikował się ze swoimi doświadczeniami ciała i negatywnymi tendencjami umysłu. Używał swego umysłu do kontrolowania działań. **Możesz zmienić własne życie przez zmianę myślenia. Myśli możesz kontrolować. Przejmiesz wówczas kompletną odpowiedzialność za swoje życie.**

26. PROCES STARZENIA SIĘ MOŻNA OPÓŹNIĆ

"Młodość nie wieczność, starość nie radość" - to stare, ale bardzo mądre przysłowie ludowe.

Jak przygotowujemy się do starzenia? Czy myślimy o tym będąc jeszcze w młodym wieku? Proces starzenia można opóźnić lub odwrócić. Czy wierzysz w to?

Profesor Deepak Chopra MD przedstawia bardzo imponujące naukowe odkrycie. Stwierdza on, że normalne starzenie może być spowodowane przedwczesnym niedojrzałym, poznawczym, percepcyjnym poddaniem się.

Wielki mędrzec hinduski Shankara twierdzi: "**Ludzie starzeją się i umierają, ponieważ widzą innych ludzi, którzy się starzeją i umierają**".

Jeśli Shankara ma rację, to starzenie nie jest ustalonym procesem biologicznym, ale tylko zbiorem naszych percepcji, jakie zebraliśmy i wprowadziliśmy do naszych ciał nadając im fizyczny kształt. **Powstrzymanie lub odwrócenie procesu starzenia zależy od naszego podejścia do tej sprawy.**

W Indiach trening małych słoni rozpoczynają od przykucia zwierzęcia żelaznym łańcuchem do wielkiego drzewa. Stopniowo rozmiar łańcucha zostaje zmniejszany, aż w końcu zastąpiony zostaje zwykłym powrozem. Kiedy dorosłego słonia słabym powrozem przywiąże się do cienkiego drzewa, nie próbuje on ucieczki. W jego systemie pojęć zakodowany jest gruby łańcuch i czuje się ciągle uwięziony. Podobne eksperymenty przeprowadzano w akwarium z rybami. Duży zbiornik przedzielono szklanną ścianką działową. Po pewnym czasie usunięto ją i obserwowano ryby. Dopływały one do nieistniejącej przeszkody i zawracały.

Dwadzieścia pięć lat temu na wydziale medycznym Uniwersytetu Harvard dokonano eksperymentu na kotach. Hodowano dwie grupy młodych kotów. Jedna grupa znajdowała się w pomieszczeniu pomalowanym w poziome pasy, druga - w pionowe pasy. Po pewnym czasie koty wpuszczono do umeblowanego pomieszczenia. Jedne z nich rozbijały się o nogi mebli, inne nie dostrzegały poziomych części umeblowania. Działo się to dlatego, że w systemie nerwowym kotów utrwalił się tylko horyzontalny albo prostopadły świat.

Eksperymenty te wskazują na to, że doświadczenia zmysłowego postrzegania świata, a nawet ciała są zaprogramowane.

Nasze początkowe zmysłowe doświadczenia wbudowują się w system nerwowy, wzmacniają percepcję dzięki czemu stają się prawdziwe.

Kiedy nie masz jasnego pojęcia o jakiejś sprawie, koncepcji czy nie posiadasz wiary, system nerwowy nie pozwoli, aby informacja taka dotarła do Twojego mózgu.

Duża grupa ludzi nie posiada zdolności przyjęcia jednej bilionowej części impulsów stymulujących jakim są poddawani. System nerwowy dokonuje selekcji wiadomości i informacji. Wprowadza do mózgu wszystko to w co wierzymy.

Dwadzieścia lat temu doktor Leaf z Uniwersytetu Harvard wyruszył w świat w poszukiwaniu wiekowych ludzi. Chciał się od nich dowiedzieć co wpłynęło na ich długowieczność. Wszyscy napotykani stuletni i starsi ludzie jeździli konno, pływali w górskich rzekach, wędrowali po ośnieżonych górach. Większość z nich nie paliła papierosów. Jednak nie to wpływało na ich dobry stan zdrowia i długość życia. W społeczeństwie, w którym żyli panowało nastawienie i przekonanie, że z wiekiem człowiek staje się lepszy, mądrzejszy i bardziej odpowiedzialny za swoje decyzje i czyny. Osoba starsza budziła zachwyt i szacunek u młodszych.

Rezultatem tej kolektywnej percepcji starzenia było odpowiednie nastawienie do tego procesu. To powodowało inny biologiczny wyraz w ich ciałach.

W 1985 roku profesor Uniwersyteru Harvard - Elen Langer przeprowadziła pewien ciekawy eksperyment.

Ogłosiła w gazecie, że poszukuje stu osób w wieku ponad siedemdziesiąt lat, w celu przeprowadzenia badań. Ludzie ci mieli uczestniczyć przez 10 dni w opracowanej przez nią grze. Gra ta polegała na udawaniu, że są o 30 lat młodsi i żyją w latach pięćdziesiątych. Każda osoba miała być dokładnie taka sama jak 30 lat wstecz.

Ludzie przebywali w warunkach i otoczeniu z lat pięćdziesiątych. Ubiory, fotografie, filmy, magazyny, muzyka rockowa i piosenki Elvisa Presley'a przypominały owe lata. Osoby rozmawiały ze sobą w czasie teraźniejszym. Oglądano filmy: "Anatomia mordercy", "Kotka na gorącym dachu" z Richardem Burtonem i Elizabeth Taylor. Dyskutowano o Chruszczowie i polityce Fidela Castro, Floyd Pettersonie i innych znanych osobach.

W tym czasie Elen Langer dokonywała pomiarów siły fizycznej, percepcji, rozpoznawalności smaku, węchu, wzroku, wagi, wzrostu, długości paznokci, itd. To pozwoliło jej na stwierdzenie, że podczas trwania eksperymentu nastąpiło odwrócenie biologicznego procesu starzenia się o kilkanaście lat.

Stanowi to potwierdzenie, że zbiorowa percepcja ludzi i ich interpretacja tego wszystkiego co działo się z nimi rzeczywiście powoduje fizjologiczne zmiany w składzie krwi, poziomie hormonów, długości palców. Następują zmiany we wzroście. Poprawia się wzrok i słuch.

Uczestnicy eksperymentu byli z Bostonu. Po powrocie do domu wszystko wróciło po kilkunastu dniach do normy.

Wracam do rozważań z poprzednich rozdziałów: Co widzimy - tym się stajemy. Czego dotykamy, smakujemy, wąchamy - tym się stajemy.

Ciało jest metabolicznym, końcowym produktem doświadczeń naszych zmysłów i intrepretacji odczuć i doznań zmysłowych.

Wszystko co przeżywamy jest interpretacją powstałą na poziomie świadomości. Człowiek jest w stanie zmieniać własne interpretacje.

Jeśli społeczeństwo dokona zmiany swoich interpretacji, to będzie to pozytywnie oddziaływało na sporą grupę ludzi, którzy często stają się ofiarami negatywnego myślenia. **Każdy z nas nieustannie myśli. Mamy prawo wyboru w tym procesie. Jeśli zaczniemy myśleć pozytywnymi kategoriami na temat procesu starzenia i innymi wyobrażeniami dostrzegać ten proces, to w tymże duchu będzie wzrastać młode pokolenie.**

Pierwszą rzeczą jaką możemy zrobić w celu zmiany obecnego myślenia jest uznanie, że istnieje w nas przedwczesne, niedojrzałe przekonanie dotyczące rzeczywistości. Następnie należy podjąć odpowiedzialność za samego siebie.

Kiedy dostatecznie wiele osób dokona tego i zmieni swoje nastawienie, to zmiany nastąpią również w społeczeństwie. Zmiana kolektywnej świadomości stanie się częścią nowego paradygmatu - wzorca.

Rzeczywistość możemy rozpatrywać w trzech kategoriach, jako cząstkę, materię i zmienną fal.

Człowiek jest polem, tworzy fale i cząsteczki.

Pomyśl o oceanie, o wielu na nim potężnych falach. Możesz dojrzeć osobę fotografującą te fale. Fale zmieniające nieustannie swoje położenie, jak i fotografia nie są rzeczywistością. Autentyczny jest ocean, on stale istnieje.

W momencie, gdy zetkniemy się z poziomem świadomości, w którym jesteśmy polem tworzącym cząsteczki, to dotykamy ponadczasowych aspektów, posiadających źródło wzrostu, energii, informacji, materii, przestrzeni i czasu. Jest to **Jedność**, z której wszystko się wywodzi, to jest własne **Ja**, które jest poza myślami, uczuciami, emocjami i poza ciałem. Jest ono bez czasu i bez przestrzeni. Są to czyste możliwości, które przez pragnienie czynimy rzeczywistością.

Pragnienie jest czystą możliwością szukającą ujawnienia się. Posiadanie pragnień pozbycia się choroby lub odwrócenia procesu starzenia ma mechanikę umożliwiającą spełnienie się tego. **Pragnienie musi zaistnieć w głębokiej warstwie świadomości i być wyrażone w stanie prostym bez przedwczesnych poznawczych zobowiązań.**

Na powstrzymanie procesu starzenia mają ogromny wpływ ćwiczenia fizyczne. Najważniejszym elementem w ćwiczeniach jest to, aby wykonywanie ich sprawiało nam przyjemność. Ponadto muszą one być regularne i bez przeciążeń. Najlepszymi z nich są: pływanie, szybki marsz i yoga.

Duży wpływ na starzenie ma nasze odżywianie, a więc co jadamy i jak jemy. Ogólnie zjadamy zbyt wiele.

Doktor Walfare dokonywał licznych eksperymentów na myszach, między innymi badał jak wpływa na nie odżywianie. Przez ograniczenie pokarmów przedłużył on pięciokrotnie żywot mysz.

W naszym żywieniu zbyt mało pojawia się jarzyn, owoców, świeżych soków. Przejadamy się, jemy nieregularnie i często zbyt późno.

W procesie starzenia dużą rolę odgrywają emocje, głównie lęk i miłość.

Zdenerwowanie, gniew, wrogość, zachłanność, zaborczość, zazdrość składają się na powstawanie lęków. Mają one negatywny wpływ na człowieka i przyspieszają proces starzenia.

Doświadczanie miłości jest eliksirem młodości. Jest doświadczalną wiedzą o jedności. Jest to doświadczanie łączności ze wszystkim i z każdym. Miłość jest doświadczaniem związków. Miłość między mężczyzną i kobietą, między ojcem i dzieckiem, matką i dzieckiem, miłość między ludźmi ogólnie, miłość do natury - to wszystko wyrazy jedności, tej która nas łączy.

Miłość może być doświadczana jako emocja, ale w ostateczności jest to prawda, która łączy wszystko, kontroluje galaktyki, organizuje Nieskończoną Inteligencję i Naturę.

Kiedy ofiarowujesz komuś swoją uwagę bez określenia wartości, bez sądzenia - wyrażasz prawdziwą miłość. **Prawdziwa miłość przychodzi, gdy nie oczekujemy niczego w zamian.** Taka miłość może przyjść wówczas, kiedy myślisz, wierzysz i widzisz ludzi jako przedłużoną formę siebie.

W lęku człowiek czuje się odosobniony, osamotniony, odizolowany. W miłości zaś jest połączony z innymi.

"Miłość jest ostateczną rzeczywistością, jest prawdą wszystkiego stworzenia" - stwierdzenie indyjskiego pisarza.

Prawdziwa miłość podlega ewolucji i przechodzi do wyższego stanu świadomości.

Najwyższa forma doświadczenia to transcendencja. Odczuwana

jest podczas medytacji transcendentalnej, dotyczy pojęć oderwanych, nadzmysłowych. W momencie wyciszenia spontanicznie odczuwamy połączenie z ludźmi, z rzeczami i z naturą. Emocjami nie wolno manipulować. Kiedy w ciszy zaczniemy je przeżywać, wówczas przychodzi spontanicznie zmiana. Ta spontaniczność jest najważniejszym aspektem doświadczania miłości. **Na biologiczne starzenie mają wpływ toksyny, czyli jady wydzielane przez komórki bakteryjne do środowiska, w którym żyją.** Są one określane jako wolne rodnikowe części. Pomocne w eliminowaniu toksyn są witaminy C, E, A, B2. Badania wykazały, że możemy je pobierać ze źródeł naturalnych jak i syntetycznych w postaci pigułek. Żywność szczególnie bogata w te witaminy, to owoce cytrusowe, brokuły, szpinak, zielona sałata.

JESTEM PANEM SWOJEGO PRZEZNACZENIA

27. KONTROLA MYŚLI, EMOCJI I DZIAŁAŃ

Zdolność kontrolowania własnych reakcji w sytuacjach stresowych, to jedna z bardzo cennych umiejętności.

Życie ustawicznie przynosi nowe problemy, rozczarowania, stresy. Niektóre z nich potrafimy rozwiązać, uwolnić się od obciążeń. Inne zaś same się rozwiązują.

Prawdziwy dramat przychodzi w momencie, gdy nie jesteśmy przygotowani do tego, nie posiadamy umiejętności rozwiązywania swoich dylematów, nie potrafimy skutecznie radzić sobie ze stresami.

Ważnym zadaniem dla każdego z nas jest wzbogacanie się w zakresie umiejętności radzenia sobie z każdym mniejszym lub większym problemem, opanowywanie trudnych sytuacji bez przejawu zdenerwowania, ze spokojem. Działając z rozmysłem otrzymywać będziemy pozytywne efekty.

Stresy na pewno nie wpływają dodatnio na Twoje zdrowie, szczęście i sukces.

Amerykański Instytut Stresów podaje, że 66% wizyt w gabinetach lekarskich spowodowanych jest obciążeniami stresowymi. Jest to duży procent.

Zastanów się jak zachowujesz się w obliczu trudności, jakie podejmujesz działania.

Wiele osób próbuje omijać pojawiające się problemy, unika emocjonalnych cierpień z nimi związanych. Staje się to przyczyną powstawania chorób umysłowych.

Pojawiające się trudności oraz problemy rodzą w naszym umyśle obawy i stresy. Na myśl, że może pojawić się jakaś trudność ogarnia nas przerażenie. Są ludzie, którzy w takich sytuacjach sięgają po alkohol, narkotyki, wpadają w gniew, brutalność. Wydaje się im, że jest to dla nich parawan obronny.

Depresje, martwienie się nie pomagają w opanowaniu trudności czy rozwiązaniu pojawiających się problemów, czynią je jeszcze gorszymi.

Każdy człowiek posiada zdolności wyboru i podejmowania działań. Nie zawsze możemy wybierać czy przewidywać zdarzenia, ale zawsze możemy dobierać odpowiednie reakcje, działania do danej sytuacji.

Trudność leży w tym, że większość ludzi jest nieświadoma tych woborów i często reaguje na pojawiające się problemy nieświadomie, automatycznie, impulsywnie czy też z lękiem. Reakcje te okazują się nieefektywne, a w konsekwencji przynoszą zgubne skutki.

Podejmowanie wyboru połączone z działaniem daje osobistą moc. Stajemy się wówczas panami sytuacji.

Zdarza się, że ludzie nie rozumieją rzeczywistej przyczyny własnych stresów.

Stres jest uczuciem doświadczanym w momencie, kiedy dostrzegasz przepaść między tym czego pragniesz, a tym co masz. Im większa jest ta przepaść, im ważniejsze zagadnienie, tym większy jest potencjał na stres. Ten stan istnieje całkowicie wewnątrz nas.

Jest on wewnętrzną reakcją spowodowaną własną percepcją lub interpretacją zewnętrznego środowiska.

Możemy nadać temu inną nazwę: przepaść, problem, szansa życia lub katastrofa.

Aby zachować kontrolę, opanować ze spokojem sytuację i podjąć decyzję musisz rozpoznać zdarzenie, ocenić przepaść między pragnieniem, a tym co posiadasz i dokonać świadomego wyboru działania.

Sam wybór nie da Ci oczekiwanych efektów. Wybór ten musi być poparty czynnym działaniem. **Zaczniesz panować nad swoim życiem. Życie musisz przeżywać zgodnie z osobistą uczuciowością. Bądź wierny sobie i własnym najgłębszym przekonaniom i wartościom.** Nie obawiaj się tego co inni myślą i sądzą o Tobie. Najszczęśliwsi ludzie nie zawsze są najlepsi i najzdolniejsi, ale są tymi, którzy przeżywają swoje życie z zaangażowaniem w działania.

Utrzymuj kontrolę nad swoimi myślami, emocjami i działaniami. Nie wolno Ci myśleć lub mówić: oni zmusili mnie do tego. Żyj świadomie, zdając sobie sprawę z tego, co dzieje się w Twoim życiu.

Jakiego życia pragniesz i jakie wartości kierują Twoim postępowaniem? Lista wartości powinna być dobrana bardzo starannie i z pełną świadomością. Muszą się w niej znaleźć te, które najbardziej cenisz. Wartości te winny być wzmacniające, muszą wytrzymywać próbę czasu, a przede wszystkim powinny być oparte na prawdzie.

Wypracowanie "Centrum komenderowania i kontroli", to najważniejsza część osobistego planu efektywności. Dzięki temu podejmowane zasady i wartości pozwolą Ci stosować rozsądne wybory każdego dnia.

Przedstawię kilka alternatyw, które definitywnie pomagą Ci stworzyć życie spokojne, bez stresów, zdenerwowań i udręk.

1) W stresowych przypadkach zamiast zwykłej automatycznej, pozbawionej kontroli reakcji wprowadzaj natychmiast zrelaksowaną kontrolę. Jest nią zastosowanie głębokich oddechów i dokonanie śmiałego stwierdzenia i spojrzenia na zaistniałą sytuację z perspektywy. To pozwoli rozładować Twoje napięcie. Zatrzymasz osąd, a znajdziesz zrozumienie.

Nie wolno reagować obawami, lękami na negatywne zdarzenia przychodzące od innych ludzi.

2) Staraj się wypoczywać, relaksować i odmładzać swoje ciało. Bardzo ważne jest utrzymanie rytmu i pełnej równowagi całego ciała. Reaguj na wszystkie niepokojące sygnały ciała w postaci napiętych mięśni, ssania żołądka, bólu głowy itd. Zwolnij tempo swoich działań, zredukuj napięcie słowami, głębokim oddechem wprowadź spokój i harmonię.

Pomocne tu będą odprężające ćwiczenia całego ciała oraz głęboki, spokojny sen w nocy. Uspokój umysł. Bądź skoncentrowany i myśl jasno i precyzyjnie.

28. WĄTPLIWOŚCI PRZYCIĄGAJĄ LĘK

Kolejne nasze rozważania dotyczyć będą sposobów jakich możemy używać radząc sobie z negatywnymi, krytycznymi uwagami ludzi kierowanymi pod naszym adresem. Również chciałbym zwrócić uwagę na problem samokrytyki i wewnętrznych wątpliwości, które często zatruwają nasze życie.

Co to jest wątpliwość?

Jest to niepewność, wahanie, powątpiewanie, brak zaufania. Są ludzie, którzy ciągle powątpiewają, nie mają zaufania ani do tego co robią, ani też często nawet do własnej osoby. **Wątpliwości sprowadzają na człowieka lęk.** Jeśli wątpisz, że czegoś nie potrafisz zrobić, wcale nie podejmując próby, to będziesz czuł ciągle przed tym lęk. Drobna przeszkoda staje się ogromnym, mozolnym zadaniem, niemal nie do pokonania w tej sytuacji.

Zamiast ufności w cudowną naturalną kompetencję ludzkiego ciała, wątpiący polegają na swoich ograniczonych umysłach. Próbują sprawdzać przeszkody prowadzące do sukcesu. W takich przypadkach należy wątpliwości zamieniać na zaufanie i wiarę.

Kiedy coś planujemy i chcemy tego dokonać w przyszłości, mamy wiarę, że to nam się powiedzie.

Jeśli żegnamy się z bliską osobą słowami: "Do zobaczenia w przyszłym tygodniu", mamy wiarę.

Gdy wstajemy z krzesła wierzymy, że nogi i kręgosłup nas uniosą. Nawet nie zaprzątamy sobie tym umysłu.

W momencie, kiedy mamy wykonać coś po raz pierwszy, coś nowego, nieznanego, gdy mamy napięte terminy lub dużo ludzi przed sobą, zaczynamy tracić wiarę. Nie mamy zaufania do siebie. Jesteśmy przekonani o swojej niemożności.

Do tego dochodzi czasem krytycyzm, własna ocena, szacowanie i obawa.

Dopóki nie uwierzysz we własne możliwości, umiejętności, wartości, dopóty ciągle będzie występował u Ciebie lęk powiązany z wątpliwościami.

Kiedy ktoś do Ciebie powie: "To nigdy nie będzie funkcjonowało" albo: "To był absurd, aby taką rzecz skonstruować", podważa Twoje idee, działania. Nie możesz pozostawać bierny na takie stwierdzenia.

Co to znaczy nigdy? Dlaczego ktoś wysuwa pod Twoim adresem tego rodzaju przypuszczenia? To może drażnić, a nawet ranić. Nie wolno Ci tego przyjmować. To jest destruktywne. Musisz spytać: "Dlaczego tak myślisz, że to nie będzie działało? Co według ciebie jest głupie w tym co zrobiłem?". Te pytania spowodują, że osoba krytykująca będzie wypowiadała bardziej wyważone opinie i zdania. Ponadto zmusi ją to do zastanowienia się nad tym co powiedziała. Może zdobędzie się na wyjaśnienie swojego stwierdzenia.

Nie odpowiadaj krytyką na krytykę, nie obrażaj się. Odpowiadając na krytykę pytaniami pozwalasz, aby osoba krytykująca zastanowiła się, gdzie i dlaczego jego sąd nie ma zastosowania.

To bardzo dobra strategia, którą możemy się posługiwać przy obronie przed negatywnymi uwagami innych ludzi z zewnątrz.

Często w naszych umysłach mocno zakorzenione są negatywne reakcje. Należy stworzyć równowagę poprzez zamianę niepewności na ufność i wiarę, a wszystkie wątpliwości na pozytywne reakcje.

Spróbuj się zrelaksować. Nastaw swój umysł na wysłuchanie wewnętrznych wątpliwości, krytyk. Może usłyszysz, że nie jesteś zbyt mądry, atrakcyjny, że bywasz leniwy. Wsłuchaj się w ten głos. Zauważ skąd on przychodzi. Czy odczuwasz go przed sobą, za sobą, z boku, a może z wnętrza Twojej piersi. Zauważ co stanie się, kiedy ten głos zacznie zmieniać swoją lokalizację, kiedy przesunie się w kierunku lewego ramienia, a następnie przejdzie w dół aż do łokcia. Pozwól, aby zaczął brzmieć, jak postacie z filmów rysunkowych. On stale mówi do Ciebie te same negatywne rzeczy, krytykuje Cię, wątpi. Teraz słyszysz głos Mickey Mouse, Kaczora Donalda lub jeszcze innej postaci z bajek Disney'a. Te głosy są Twoimi sprzymierzeńcami, przynoszą Ci radość.

Wszystkie negatywne nastawienia i reakcje znikają z Twojego umysłu. Jesteś wolny od tego co Cię dręczyło. Odzyskałeś wewnętrzną harmonię i spokój umysłu.

29. STRESY I LĘKI - PRZESZKODY DO POKONANIA

Stresy mogą być jedną z największych przeszkód w zachowaniu dobrego zdrowia i w osiąganiu szczęścia. Dlatego musimy nauczyć się je kontrolować.

Przychodzi poniedziałek rano. Dzwoni budzik, a Ty przewracasz się na drugi bok nakrywając głowę kołdrą i modlisz się, aby nikt nie zjawił się po Ciebie. Odczuwasz lęk przed nowym dniem i wzrastające napięcie, nim wynurzysz się z bezpiecznego łóżka.

Pędzimy do przodu. Jesteśmy w ciągłym kołowrotku, z którego trudno się wyrwać. Często potrzebujemy odpoczynku i przerwy w wykonywanych zajęciach, ale nie robimy jej, bo czas nas nagli. Stajemy się coraz bardziej zmęczeni, podenerwowani, stajemy w obliczu coraz to nowych stresów.

Pierwszym krokiem do opanowania stresów jest umiejętność przyznania się, że je przeżywamy.

Ludzie cierpiący w wyniku stresów odczuwają utratę kontroli nad swym życiem. Tracą bardzo wiele czasu na wykonanie rzeczy nie mających dla nich większego znaczenia. Życie im ucieka, a mają jeszcze tak wiele do zrobienia.

Kontrolę nad sobą, nad swoimi lękami rozpocząć należy od planowania. Musisz wprowadzić do swojego obecnego życia elementy przyszłości umożliwiając ich realizację. Proces ten wymaga wyrzucenia z umysłu wszystkich zbędnych rzeczy, które go obciążają.

Przygotuj sobie listę najważniejszych działań tego co pragniesz osiągnąć. Uwzględnij przy tym stopień ważności każdego zamiaru. Nie wypisuj ich początkowo zbyt wiele, aby nie zagmatwać właściwego celu, do którego zmierzasz.

O pewnych sprawach możesz decydować, między innymi: długość snu, sposób odpoczynku. Wypadają czasem rzeczy nieprzewidziane (złamanie nogi, wypadek samochodowy), które musisz umieścić dodatkowo w swoich działaniach.

Przygotowując listę swych zamierzeń podziel ją na dwie grupy: na zadania długoterminowe i krótkofalowe. Określ przewidywany czas wykonania. W ten sposób przygotowana lista będzie wizualnym obrazem tego co zrobiłeś, robisz lub będziesz wykonywał.

Ogromnie ważnym problemem jest właściwe organizowanie czasu. Osoby zestresowane bardziej lękają się tykania zegara niż odpowiedzialności za wykonane działania. Bywa, że niewłaściwe zarządzanie czasem powoduje stresy. Wiele osób cechuje brzydki nawyk niedotrzymywania umów, terminów, spóźnianie się na umówione spotkania. Chcą przez to niejednokrotnie zademonstrować swoją niezależność, zwrócić na siebie uwagę.

Zdarza się, że nieodpowiednie gospodarowanie czasem wiąże się z próbami unikania nieprzyjemnych czynności, obowiązków często z uchylaniem się przed osobistą odpowiedzialnością. Bywają i tacy ludzie, którzy lubią wszystko odkładać na później. W wyniku tego odkładane rzeczy nawarstwiają się. Wprowadza to stan napięcia i nerwowości. Jeśli dojdą jeszcze nie załatwione sprawy w pracy, wytwarza się lęk przed przełożonym i konsekwencjami.

Stąd też nieodzowne jest dla wszystkich mających problemy z właściwym gospodarowaniem czasu, aby dokonywali planowania czynności z długopisem w ręce i przestrzegali realizacji z dużą dyscypliną. Początkowo niech to będzie planowanie z dnia na dzień. Co wieczór przeglądamy listę i skreślamy to, co już zrobiliśmy. Jeśli czegoś nie udało się nam wykonać dokonujemy analizy i szukamy odpowiedzi na pytanie: dlaczego? Jeżeli było to zadanie ważne należy go włączyć do wykonania w najbliższym dniu.

Na liście czynności umieszczamy tylko to co jest ważne i nie wchodzi w zakres rutynowych obowiązków. Trudno by było przyjąć zadania tego typu, jak: mycie zębów rano, kąpiel, śniadanie, itp.

Czynnikiem wpływającym na powstawanie stresów jest niezdolność do przenoszenia odpowiedzialności na innych. Zbyt często przygniata nas duży ciężar obowiązków, a jednak boimy się przekazać część z nich innym. Dlaczego? Obawa, że ktoś tego nie potrafi? Brak zaufania?

Przekazując część swoich obowiązków masz więcej czasu na inne sprawy. Będziesz mógł swobodnie kontrolować całość pracy, a współpracownikom pozwolisz czuć się usatysfakcjonowanym z tego co wykonują.

Ten podział obowiązków należy również stosować w domu rozdzielając zadania na wszystkich członków. Taki styl pracy uwalnia od stresów, daje każdemu w rodzinie poczucie odpowiedzialności za ciepły i szczęśliwy dom.

Naucz się redukować stresy przez znajdywanie czasu dla siebie. Nigdy nie zaniedbuj ćwiczeń gimnastycznych i racjonalnego odżywiania. One to sprawią wielką różnicę w Twoich postawach i energii. Wybieraj tylko te ćwiczenia, które lubisz. Spędzaj czas z tymi, których darzysz sympatią. Odśwież stare znajomości i przyjaźnie. **Stres jest faktem w życiu, który pojawia się nagle, niespodziewanie, ale masz możliwość opanowania go.**

Lęk domobilizuje nas, nawet jeśli występuje w niewielkim natężeniu. Wstrzymuje przed zrobieniem wielu rzeczy.

Rozróżnić możemy kilka rodzajów lęku. Bywa lęk, który:
- powstrzymuje nas przed działaniem
- paraliżuje nas
- rozrywa nas od środka
- powstrzymuje nas od osiągania pełnego potencjału, aby stać się tym wszystkim, czym być możemy.

Jeśli chcesz się zupełnie wyzwolić od lęku musisz się samorealizować w działaniu.

W momencie, kiedy lęk całkowicie Cię opanowuje wpadasz w panikę.

Gdy potrafimy realizować się w działaniu stajemy się weseli, szczęśliwi, ufni i odczuwamy, że robimy to czego pragniemy.

W chwili, kiedy spadają na nas kłopoty popadamy w tak zwane pogotowie lękowe. Potrafimy wyzwolić się od lęku i wyjść z sytuacji bez szkody dla swojego zdrowia psychicznego lub też popadamy w inercję.

Kiedy odczuwamy, że lęk potęguje się, doznajemy tak zwanego ataku lęku. Robimy duże wysiłki, aby podołać wyzwaniom, lecz często bez skutku ,ponieważ ciągle jesteśmy w sidłach lęku, stresów przed tym co dzieje się wokół nas. Wyczerpuje się w organiźmie witamina B. Stajemy się nerwowi. Obniża się nasza energia.

Jesteśmy więźniami własnych ograniczeń, z których często nie zdajemy sobie sprawy. Ograniczenia, przesądy narzucamy sobie sami. Dopóki się od nich nie uwolnimy, dopóty życie nasze będzie z obciążeniami.

Wielu ludzi boi się podejmownia samodzielnych decyzji. Stają oni w obliczu lęku przed odpowiedzialnością. Człowiek powinien być pobudzany do odpowiedzialności.

Przesadna wiara w potęgę losu, a więc w potęgę zewnętrznych i wewnętrznych okoliczności daje człowiekowi siłę popychającą go do ratowania się ucieczką przed odpowiedzialnością. Jest to fatalizm przenikający współczesnych ludzi.

Mówi się o naszym wieku jako o wieku lęku. Joachim Bodamer, psychiatra niemiecki, stwierdził kiedyś: **"Jeśli człowiek współczesny cierpi na lęk, jest to lęk przed nudą. Wiemy, że nuda może być śmiertelna"**.

Dzisiejszy człowiek przeżywa bowiem wielokrotnie to, co najtrafniej wyraził W. Goethe kilkoma słowami w "Egmoncie": **"Nie wie, skąd wyruszył, tym mniej zaś, wie dokąd pędzi"**. Można tu dodać, że im mniej człowiek wie o sensie egzystencji i celu własnej wędrówki, tym bardziej przyspiesza tempo życia.

Pamiętać musimy, że świadomość celu, poczucie stojącego przed nami zadania pozwala nam wytrwać nawet wśród najcięższych zewnętrznych warunków.

Nie możemy bać się ryzyka. Każda porażka jest kolejnym krokiem do sukcesu. Dlatego podejmuj decyzje śmiało. Przemyśl je. Opracuj najmądrzejszą strategię działania i idź do przodu. Tylko w ten sposób będziesz otwierał drzwi do coraz lepszych rzeczy. **Wysiłek podejmowany każdego dnia i każdej godziny nigdy nie jest daremny.**

Każdy czyn jest swoim własnym pomnikiem. Nie da się cofnąć niczego, co się raz zdarzyło.

29. NAWYK ODKŁADANIA RZECZY NA PÓŹNIEJ

Ktoś dowcipnie powiedział, że ociąganie jest sztuką trzymania się dnia wczorajszego.

Nikt z nas nie jest wolny od tego nawyku. Każdy odkłada rzeczy na później, głównie te, które są trudne i nie sprawiają przyjemności.

Jeżeli jesteś człowiekiem, który chronicznie nie może z niczym zdążyć na czas, nie martw się, może to jeszcze nie jest takie złe. Ale jeśli Twoje ociąganie się w wypełnianiu obowiązków powoduje u Ciebie stresy, to nadszedł czas, aby pozbyć się tego nawyku. Początkowo traktujemy ten objaw jako zwykłą nieszkodliwą słabość. Lecz kiedy ociąganie zacznie się objawiać w sprawach zasadniczych i ważnych dla naszego życia, okaże się ono rzeczą bardzo niebezpieczną. Wielu ludzi ma poważne kłopoty w walce z tym nawykiem. Czas stracony przez odkładanie rzeczy na później, przez ociąganie się może obrabować człowieka z wielu lat życia. Powoduje stratę energii i czasu. Staje się przyczyną lęków, powątpiewania w siebie. Ociąganie się, zwlekanie jest psychologicznie złożonym procesem, który rzadko może być zlikwidowany prostymi środkami.

Pierwszym krokiem do pozbycia się tego nawyku jest przyswojenie umiejętności obserwowania siebie. Musisz rejestrować swoje działania i myśli, aby zrozumieć dlaczego odkładasz wykonanie pewnych rzeczy na później. Początek nie jest łatwy. Ludzie opieszali pytają siebie czy mają daną rzecz zrobić, czy nie. Odczuwają swoją nieudolność i mają małe zaufanie do siebie. Powoduje to lęk przed ewentualną porażką. Powątpiewają we własne siły. Zamiast działać, przełamać opór przed nieznanym, wolą odkładać wszystko na później.

Dobrze jest zrobić sobie listę usprawiedliwień, jakich używamy przy odkładaniu prac. Pomoże to dobrać odpowiednią broń do walki z nimi.

Masz zamiar stracić na wadze, a otwierasz lodówkę i nabierasz sobie porcję smacznych lodów. Kiedy wypowiesz, że lody te nie pomagają w zrzuceniu nadwagi, zauważysz, że chęć na deser osłabnie. Dzieje się podobnie, kiedy szukasz wymówek, aby czegoś nie zrobić.

Wiele osób rozumie swoje problemy, lecz nie podejmuje wysiłku, aby je rozwiązać. Ironią jest, że **większość ludzi dokładnie wie co winni robić, ale nie umieją zdobyć się na wysiłek działania.**

Sama świadomość istnienia problemu nie wystarcza. Przyszedł czas, kiedy musisz działać. Jeśli będziesz czekał na odpowiednią chwilę do działania ona może nigdy nie nadejść.

Odkładanie na później często przynosi Ci szkodę w postaci stresów, utraty przyjaźni, płacenia kar pieniężnych, a nawet złej opinii wśród bliskich i znajomych.

Co roku w dniu 14 lub 15 kwietnia widzimy ogromne kolejki ludzi przy poczcie głównej w Chicago. Wiele osób, do późnych godzin, nocnych składa swoje zeznania podatkowe. Czynią to na parę minut przed upływem daty. Dlaczego? Czyżby byli tak mocno zapracowani, że nie mogli tego zrobić wcześniej? W wielu przypadkach ociąganie się, odkładanie na później ma dobre strony. A dzieje się to wówczas, kiedy problem rozwiąże się sam bez naszego udziału i ma pozytywny wynik.

Jest zima. Spadła ogromna ilość śniegu. Muszę wyjść i odśnieżyć obejście. Odkładam tę pracę na później. W ciągu kilkunastu godzin przyszła odwilż i kiedy postanowiłem zabrać się do dzieła, nie było to już konieczne. Odkładanie na ostatnią chwilę jest domeną wielu z nas. Ludzie czują się z tym świetnie. Lubią pracować pod presją czasu. Robią to dobrze, szybko, niemal w euforii. Nie można tego odnieść do wszystkich.

Posłużę się tu przykładem z życia studentów. Ci młodzi ludzie lubią odkładać przyswajanie wiedzy na ostatnią chwilę przed egzaminem. I kiedy rezultaty egzaminu okażą się bardzo mierne wówczas mówią: Gdybym miał więcej czasu na pewno byłoby lepiej.

Ociąganie może stać się poważnym problemem w momencie, gdy wpływa na niedotrzymywanie istotnych terminów. Wiąże się to często z poważnymi konsekwencjami, nawet przykrymi.

Odkładanie na później może mieć bardzo negatywny wpływ na naszych współpracowników, a nawet powodować u nich zdenerwowanie. Na przykład: sekretarka zostaje zatrzymana w pracy dwie godziny dłużej, bo jej szef odkładał do ostatniej chwili przepisanie kontraku, potrzebnego na dzień następny.

Istnieją dwa typy ludzi ociągających się. Jedni, którzy czekają do ostatniej chwili i nie martwią się niczym. Drudzy, którzy stale się martwią.

Jeżeli ociąganie jest naturalną częścią stylu Twojej pracy i nie wpływa ono źle na pracę innych, to żyj spokojnie. Ale jeśli powoduje stresy u współpracowników lub wprowadza niepoprawne stosunki w pracy, to już spory problem, nad którym musisz popracować. Zmień natychmiast sposób swojego działania. Likwiduj wszystkie pułapki prowadzące do odkładania rzeczy na później. Jeśli jesteś przygnieciony ilością pracy, podziel ją sobie na małe fragmenty. Łatwiej będziesz się mógł skoncentrować na mniejszych częściach, szybciej zobaczysz efekt i końcowy rezultat.

Zaobserwuj, która pora w ciągu dnia jest dla Ciebie najbardziej sprzyjająca, kiedy jesteś najaktywniejszy. W tej właśnie porze wykonuj te rzeczy, do których czujesz słabą stronę, które odkładasz. Unikaj w takich momentach odrywania się od rozpoczętego zadania. Wyłącz telefon, zamknij drzwi.

Przekonasz się, że nie jest to takie przykre. W ten sposób pokonasz tkwiące w sobie opory i zaczniesz równomiernie i w czasie pracować. "Jesteś mrówką w ludzkim mrowisku. Bądź pracującą mrówką, a nie dziwacznym insektem litującym się nad sobą." - powiedział tak kiedyś pewien wydawca gazet.

Osoba dźwigająca wielki ciężar, tak długo jest w formie, jak długo się porusza. Z chwilą kiedy się zatrzyma, położy ciężar na ziemi i usiądzie, aby odpocząć, przysparza sobie wielu kłopotów. Wznowienie pracy powoduje, że staje się ona nieprzyjemna, ciężar - nie do udźwignięcia, a cel wędrówki bardzo odległy.

Nie odkładaj prac na później. Wybierz jedną z nich i działaj. Poczujesz się lepiej w czasie jej wykonywania i przekonasz się, że to nie jest takie straszne ani złe, jak przewidywałeś.

Praca nie jest tak deprymująca, jak myślenie o tym, że ciężko będzie ją wykonać.

Chińczycy mają trafne powiedzenie, że podróż tysiąca mil zaczyna się od pierwszego kroku. Ten pierwszy krok automatycznie zmniejsza odległość jaką mamy pokonać i sprawia, że czujemy się lepiej oraz pewniej w naszej podróży. Wzmacnia on naszą wiarę.

Jeśli człowiek będzie stawiał tylko jedną stopę przed drugą, to i tak po pewnym czasie dojdzie do wielu ciekawych rzeczy oraz miejsc.

Bezczynne siedzenie, denerwowanie się, a nawet zamartwianie nie przyniesie nic nowego ani nie rozwiąże Twoich problemów. Martwienie się czyni szkody, a zniknie kiedy zaczniesz pracować i działać.

Radość, która przychodzi wraz z osiągnięciami warta jest wysiłku. Bez wysiłku nie ma rozwoju fizycznego i intelektualnego. Wysiłek to praca.

Praca nie jest przekleństwem. Jest ona prerogatywą inteligencji, jedyną miarą cywilizacji i człowieczeństwa.

31. SZTUKA ZAPOMINANIA

Czy kiedykolwiek życzyłeś sobie i marzyłeś o posiadaniu doskonałej pamięci?

Pamięć jest rzeczą naturalną dla umysłu ludzkiego, zaś niezdolność zapamiętywania, to wskaźnik tego, że pamiętamy raczej zbyt dużo.

Specjalista do pamięci spytał kiedyś męża stanu czy nie zechciałby uczestniczyć w kursie rozwijania pamięci. Usłyszał odpowiedź: "Raczej naucz mnie sztuki zapominania".

Tak, to jest również ważna umiejętność. Wiele rzeczy obciąża, zaśmieca nasz umysł. Często są to rzeczy, które nas bolą, sprawiają nam przykrość, przynoszą gorycz. Działają na nasz cały system jak trucizna.

Św. Paweł zalecał: "Nie pozwól słońcu, aby zaszło na Twój gniew". (Eph. 4:26)

Zanim położysz się do nocnego odpoczynku, oczyść swoją świadomość z niepożądanych myśli i uczuć. Sprawdź zawartość umysłu przy pomocy pozytywnego detektora.

Cokolwiek uznasz za niewłaściwe i szkodliwe dla siebie lub innych, wyrzuć natychmiast ze swojej pamięci. Przyjmuj i koduj sobie tylko te doświadczenia, które są pozytywne. Dostrzegaj dobro w osobach i zdarzeniach.

Może Ci się zdarzyć, że masz poczucie winy za coś co zrobiłeś w dzisiejszym dniu lub w przeszłości. To co się wydarzyło już minęło, jest przeszłością i pozostały tylko odczucia w Twoich myślach. Musisz się ich pozbyć. Wyrzuć je ze swojej świadomości, bo tylko tu one istnieją. Nie pozwól się zniewalać przeszłości, mimo że już mocno przywiązałeś się do niej.

Jeśli dręczy Cię poczucie winy spróbuj sobie przebaczyć. Prawdziwe przebaczenie, to jedyny rodzaj pełnego przebaczenia.

Kim byłeś, w tej chwili nie ma już żadnego znaczenia. Wszystko co się liczy w Twoim życiu, to tylko to, do czego podążasz i kim się stajesz.

Jeśli dzisiaj masz zapłonąć entuzjazmem i żarem twórczego działania, przeszłość musi być odrzucona, zniszczona. Przechowywanie w pamięci nieprzyjemnych wspomnień z przeszłości nie pozwoli Ci poruszać się swobodnie do przodu.

Spójrz na Lincolna, Churchilla, Edisona. Ludzie Ci mieli wielki szacunek dla swoich umysłów. Nie obciążali ich myślami o niepowodzeniach i przykrościach jakich doznawali. Posiadali umiejętność dobrego zapominania.

Jeżeli doznajesz rzeczy przyjemnych, słyszysz pochwały, spostrzegasz prawość, myśl o tym wszystkim. Zapełniaj tym pamięć własnego umysłu, a równocześnie zapominaj o złych momentach. Rozwijaj zdolność zapominania. Zauważysz wówczas, że pamięć zacznie Ci doskonale służyć.

32. ODRZUĆ UZALEŻNIENIA

Szerzącą się chorobą i to dość powszechną jest uzależnienie. Uzależnienie może występować w różnych formach. Może to być zbytnie poleganie na rodzicach, przyjaciołach, nauczycielach, lekarzach, duchownych, różnego rodzaju instytucjach. To poleganie doprowadza do tego, że nie jesteśmy zdolni w żadnej kwestii podjąć samodzielnej decyzji, że uzależniamy się we wszystkich sprawach od tego co inni nam powiedzą, poradzą i rozkażą.

Innym rodzajem może być uzależnienie od alkoholu, nikotyny, kawy, narkotyków.

Posiadamy błędnie wytworzoną wiarę, że przyszliśmy na świat pozbawieni zalet, znaczenia, i dopiero one muszą znaleźć swoje spełnienie w świecie.

Jesteśmy w stanie pokonać każdą sytuację, stawić czoła każdemu doświadczeniu bez szukania oparcia w ludziach lub środkach stymulujących. Musimy w tym duchu pracować, wzrastać. Wzrost i rozwój dotyczy całego życia.

Dokonaj uważnie przeglądu swojego zachowania. Zastanów się czy sobie nie pobłażasz lub zbyt pochopnie się nie poddajesz?

Analizując własne zachowania odkryjesz i wykorzystasz małą część swojego potencjału.

Postaw sobie wyzwania, idź dalej poza punkt słabości.

Daj sobie czas na to, aby odnaleźć i odczuć wewnętrzną ostoję, własne postanowienie. Nie biegnij do domu pod skrzydła matki. Nie polegaj tylko na przyjaciołach, doradcach. **Zbytnia zależność niweczy potencjał. W momencie, kiedy zbytnio polegasz na kimkolwiek lub czymkolwiek niż na mocy Wszechmogącego w Tobie, progresywnie tracisz respekt dla samego siebie.** Możesz uwolnić się od kul, szczudeł, podpór, które służą Ci pomocą w chwili, gdy zmieniasz własne myślenie. Nie potrafisz wznieść się i uruchomić nowej siły, kiedy myślami tkwisz we własnych słabościach. Zacznij widzieć swoją osobę w świetle możliwości zmiany. Nie powtarzaj wyświechtanego komunału: "taki jestem". **Myśl, zawsze jest rodzicem działania. Myśl zatem myślami, które będą produkowały taki rodzaj warunków, jakich pragniesz w swoim życiu.** Pamiętaj, że zostałeś stworzony na obraz i podobieństwo Boże z nieograniczonym potencjałem wykonywania tego co winno być dobrze zrobione.

Może akceptowałeś słabość jako punkt startowy: "ostatecznie jestem tylko człowiekiem". Ale Ty nie jesteś tylko człowiekiem. Jesteś człowiekiem i istotą duchową. Duchowość zaś otoczona jest osłoną ludzką.

Słabość jest nawykiem. Twoje myśli o własnej osobie były z nawyku negatywne.

Nie ma czegoś takiego jak wrodzona słabość. Są tylko zakorzenione w podświadomości wzory ograniczeń.

Siła i moc są Twoją potęgą. Jest to duchowy poziom, z którym masz się identyfikować. Nie miej pokus opierania się na kimś. Bądź wolny.

Pozbądź się podpór nie przez siłę woli, ale poprzez świadomy proces formujący. Droga do tego nie musi być łatwa. Pamiętaj, wszystkie pokonywane trudności czynią nas bogatszymi i silniejszymi istotami. Stają się bazą do budowania nowych, doskonalszych rzeczy.

33. CIERPLIWOŚĆ I WYTRWAŁOŚĆ

Benjamin Franklin powiedział: "Ten, który ma cierpliwość może mieć co chce".

Te słowa mają dużą wartość dla każdego człowieka, bowiem cierpliwość jest nieodzowna w naszym życiu.

Ile razy w rozmowie lub w dyskusji nie potrafiłeś wysłuchać do końca co chcą inni powiedzieć? Ile razy przerywałeś czyjeś zdanie i wtrącałeś swoje racje i opinie? Często z tego powodu miałeś przykrości, wychodziłeś na durnia. Na pewno nie czyniłbyś tego, gdybyś umiał panować nad własnymi reakcjami, impulsywnymi zachowaniami. Jest to wynik tego, że nie potrafisz być opanowanym i cierpliwym.

Dla dziecka czekanie na jego ulubiony film wydaje się być wiecznością. Mówić do dziecka lub do dorosłego w kategoriach miesięcy, to nic innego jak straszenie ich niecierpliwych umysłów.

Z biegiem lat staramy się opanować swoje słabości, stajemy się cierpliwi. Panujemy, jak to często się mówi, nad swoimi nerwami.

Zadziwiający jest fakt, że wiele problemów znajduje rozwiązanie z upływem czasu. Jest to tak, jakby człowiek jechał na zewnętrznej krawędzi wielkiego koła, które obraca się bardzo wolno, ale z czasem przeniesie go do szczęśliwej szansy. Następuje to wówczas, gdy właściwie wykonuje każde zadanie.

Brak cierpliwości powoduje wiele aktów kryminalnych, rozpadów małżeństw, nieporozumień rodzinnych, itp.

A. De Maistre powiedział: "Wiedzieć jak czekać jest wielkim sekretem sukcesu".

Cierpliwość nie jest pasywna, jakby się to mogło wydawać i nie można jej mylić z bezczynnością lub flegmatyczną nieśmiałością. **Cierpliwość jest aktywna, jest skoncentrowaną siłą i jest wytrwałością.** Wiemy, że wytrwałość prowadzi do zwycięstwa.

Cierpliwość jest gorzka, lecz jej owoce są słodkie - tak niegdyś powiedział Rousseau.

Wielkie życie, olbrzymi dom, kariera, rodzina, ogromny biznes i wiele osągnięć przychodzi do nas wraz z cierpliwością.

Cierpliwość łączy się z wytrwałością. Czy zawsze nam jej wystarcza? Czy nie zaczynałeś wiele razy jakiejś pracy fizycznej lub umysłowej

114

i w pewnym momencie przerywałeś ją? Czy nie czujesz czasem stagnacji, braku energii do działania? Większość ludzi przy pierwszych oznakach zmęczenia przestaje pracować, narzeka i szuka usprawiedliwienia. Ten rodzaj zmęczenia tworzy pewnien rodzaj murów, w środku których pracujemy i przeżywamy nasze życie. Ale, kiedy następuje niezwykła sytuacja, która pobudzi nas, czujemy nowe siły i podrywamy się do pracy. Jeśli pokonasz zmęczenie zauważysz, że stajesz się bardziej rześki aniżeli na początku rozpoczętej pracy. Jest to moment, w którym otworzyłeś "kurek" do poziomu swojej nowej energii. Energia ta była zamknięta i ukryta pod barierą zmęczenia.

Kiedy czujesz zmęczenie i masz ochotę przerwać pracę, bo twierdzisz, że brak Ci sił, nie jest to prawdą. W Tobie tkwią olbrzymie zapasy energii, o jakich nie masz wyobrażenia. Wystarczy je tylko uruchomić. Tą ukrytą energię nazywają niektórzy "drugim wiatrem".

Co może Ci pomóc w odblokowaniu sił witalnych i twórczych? Może to być krótki relaks w formie piętnastominutowego spaceru lub drzemki, krótkie ćwiczenie fizyczne, szklanka gorącej herbaty albo kubek kakao.

Zmagazynowana energia powróci do Ciebie tylko wówczas, kiedy będziesz bardzo wymagający w stosunku do siebie.

Jeżeli przy pierwszych objawach zmęczenia zabraknie Ci cierpliwości i poderwania się do dalszej pracy możesz bardzo wiele stracić. Często przerwane działanie traci wątek i nastąpią trudności w późniejszym dokończeniu.

Pamiętam okres swojej pracy zawodowej na stanowisku niezależnego konsultanta. Otrzymałem wówczas zlecenie na dokonanie korekty błędów w rysunkach technicznych i opracowanie nowych rozwiązań. Pracy było mnóstwo, a do dyspozycji miałem tylko dwa dni.

Rozpocząłem pracę o ósmej rano i pracowałem w wielkim skupieniu do godziny piątej po południu. Byłem kompletnie wyczerpany. Z trudem zbierałem swoje myśli. Przede mną było jeszcze dużo do zrobienia. Wiedziałem, że nie mogę pozwolić sobie na przerwanie pracy. Wypiłem szklankę gorącej herbaty, wziąłem kilka mocnych oddechów powietrza przy otwartym oknie i poczułem nowy napływ energii. Zmęczenie umysłowe ustąpiło. Usiadłem do dalszej pracy. Z łatwością przychodziły mi nowe pomysły na ulepszenie tego, co proponowałem na początku. Pomyłki wyłapywałem błyskawicznie. Pracowałem do godziny trzeciej rano. Po skończonej pracy czułem się świetnie. I mimo dziewiętnastu godzin wytężonej pracy umysłowej byłem szczęśliwy i świeży.

Wystarczyło pokonać tylko krytyczny moment zmęczenia, uruchomić "drugi wiatr" i ruszyć z nowym zapasem sił do dalszej pracy.

Przejście przez barierę zmęczenia i korzystanie z uśpionych rezerw energii tworzy zasadniczą różnicę między szarą egzystencją, a prawidłowym życiem.

Emerson powiedział: "Wigor udziela się i cokolwiek każe nam myśleć lub czuć zawsze dodaje nam mocy i powiększa nasze pole działania".

34. WARTOŚĆ OCZEKIWAŃ

Byłem przed laty w Washington. Wracając do domu przeżyłem na lotnisku sporo stresów. Odlot samolotu został odwołany z powodu kłopotów mechanicznych. Zaproponowano pasażerom dołączanie do innych kursów samolotu. Następny lot był za godzinę. Wróciłem do pracownicy linii lotu i spytałem ile wolnych miejsc będzie w samolocie, którym mamy polecieć. Bałem się, że będzie tłoczno. Usłyszałem odpowiedź: Nie wiem, może nie.

Pomyślałem o wszystkich ludziach z odwołanego lotu, o wspólnych zmaganiach , aby załapać się na następny rejs.

Brałem pod uwagę ewentualność pozostania na noc w Washington. Czekał mnie powrót do hotelu i nowa rezerwacja.

Pracownica obsługi pasażerów spytała mnie dlaczego chcę zrezygnować z następnego kursu samolotu. Rozmyślałem znowu o godzinnym czekaniu w tym tłumie ludzi i rozczarowaniu jeśli nie będzie wolnych miejsc. Spytałem: Czy pani sądzi, że jest jakaś nadzieja? Usłyszałem odpowiedź: Proszę próbować. Zdecydowałem się czekać. Udało mi się otrzymać miejsce przy oknie i to w początkowych rzędach. Szczęśliwie wylądowałem na docelowym lotnisku z godzinnym opóźnieniem.

Od tego momentu przestałem łatwo poddawać się czemukolwiek. Nie powinniśmy tracić z oczu faktu, że istnieje zawsze nadzieja, szansa. Istnieje bardzo cienka linia między tym czego oczekujemy od życia, a tym co otrzymujemy.

Jeśli zdarzy Ci się, że nie otrzymujesz tego co chcesz, to pewnie dlatego, że Twoje oczekiwania są zbyt niskie.

Wyższe oczekiwania powodują wywieranie presji na samego siebie. Nie pozwalają poddawać się przeciwnościom losu.

Jeszcze dzisiaj brzmią mi w uszach słowa, które słyszałem w dzieciństwie: "Jeśli nie będziesz oczekiwał wiele, nie będziesz zawiedziony, kiedy nie otrzymasz wiele".

Jest to poważny problem, bo jeżeli nie oczekujesz wiele, to wykluczasz szansę wygrania. I to sprawdza się w życiu. Świat jest pełen ludzi, którzy nie mają wiele, ponieważ oni nie oczekują zbyt dużo.

Nie wolno myśleć o okazjach niewykorzystanych w przeszłości. Nigdy nie uda się nam zrealizować większości z nich. Okazje przychodzą ustawicznie i trzeba je tylko dostrzegać.

Nikt nie jest bez nadziei. Każdy ma swoiste oczekiwania. Zbyt często nie doceniamy siebie i dlatego też za mało oczekujemy.

Oczekiwania muszą być dość wysokie, aby efekty były znacznej jakości.

Goethe kiedyś powiedział : **"We wszystkim lepiej jest mieć nadzieję niż oddawać się rozpaczy"**.

Przemyśl własne oczekiwania. Uporządkuj je. Dodaj sobie nowych bodźców do ich zrealizowania. Zastanów się jak wysoko celujesz? Stawiaj sobie wysokie poprzeczki. Nie rezygnuj z tego co wymaga większego wysiłku. Twój wysiłek zaowocuje w odpowiedniej chwili.

35. JAK TWORZYĆ NOWE WARTOŚCI

Każdy dzień przynosi nam przeróżne twórcze okazje, które powinniśmy rozwijać. Nie ma sytuacji, która nie byłaby naładowana możliwościami ich realizowania. Przez 365 dni w roku stajemy twarzą w twarz z obfitymi zasobami przeróżnego materiału twórczego.

Potrzebny nam jest taki stan umysłu, który wyczuje otwierające się okazje, ich bliskość i podekscytowanie.

Na to co robimy, do czego dążymy nie mamy pełnej gwarancji, pełnego bezpieczeństwa. Dlatego też często podchodzimy do tego z dużą ostrożnością.

W momencie, kiedy uruchomisz wielką dźwignię swojej wyobraźni wraz z wrodzoną twórczą zdolnością, możesz dokonać bardzo wiele. Zawsze masz możliwość, aby wiele zyskać, a mało stracić. **Pamiętaj, nie wolno zaprzestać działania na jednej nieudanej próbie!**

Przypomina mi się powiedzenie Mike Todd'a: "Bycie wypłukanym z pieniędzy jest sytuacją tymczasową, być biednym, to stan umysłu".

Możemy powiedzieć zatem, że twórczość jest stanem umysłu. Szczególnie jest on typowy dla bardzo młodych ludzi ze względu na poznawanie przez nich świata. Z upływem lat zmysł ten zostaje osłabiony poprzez różnego rodzaju naciski socjalne, podporządkowanie się wymaganiom, powtarzającym się doświadczeniom. Ta młodzieńcza twórczość umysłu zostaje uwięziona w betonowych formach, przygotowanych przez dorosłych.

Jeśli dorastający człowiek ma już ukształtowaną silną osobowość nie da więzić twórczych myśli innym. Wprowadza je w działanie.

Stwierdzono, że twórcza osoba zasadniczo jest wiecznym dzieckiem.

Wydaje mi się, że nikt z nas nie wykorzystuje maksymalnie swojego potencjału umysłowego. Często pozwalamy, aby nasz umysł drzemał. Pobudzamy go do wysiłku, gdy stajemy wobec trudnych sytuacji, problemów, itp.

Nawet prezydenci firm, których znam nie zawsze dostatecznie koncentrują się nad sprawami dnia codziennego. Zaczynają pobudzać swój umysł dopiero w spotkaniu z kryzysami. Potrafią je doskonale rozwiązywać i wyprowadzać firmy bezpiecznie z narosłych trudności.

Wynika jasno, że powinni oni mieć opracowany pewien rodzaj planu twórczego myślenia, systematycznie go realizować. Wówczas ich mózg i umysł pracowałby bez przestojów. Odnosi się to do wszystkich ludzi.

Inteligentna osoba, dbająca o swoją kondycję fizyczną opracowuje dla siebie plan lub zestaw ćwiczeń gimnastycznych. Wie, że poprzez ćwiczenia wzmacnia swoje mięśnie, system nerwowy, usprawnia stawy, itd. Dlaczego nie mamy stworzyć planu ćwiczeń umysłowych? Umysł "nie ćwiczony" również traci swą kondycję, podobnie jak nasze ciało.

Znam w Chicago człowieka działającego w handlu. W krótkim czasie odniósł zadziwiające sukcesy. Zarobił miliony dolarów w swoim biznesie w tym czasie, kiedy jego konkurenci walczyli z trudem o utrzymanie się na rynku.

Reporterzy zadawali mu w wywiadach mnóstwo pytań, ale najbardziej interesowała ich tajemnica sukcesu. Nie ukrywał on co pomogło mu w drodze po zwycięstwo. Mówił, że każdego wieczoru zamykał się w ciemnym pokoju i oddawał medytacjom, w czasie których próbował wyobrazić sobie siebie w rozpoczętym biznesie za 2, 5 i 10 lat. Snuł różne pomysły dotyczące rozwoju swojej osobowości i biznesu. Potem nanosił to wszystko na kartki zeszytu. Wszystkie powstające pomysły natychmiast wprowadzał w czyn.

Kończył zawsze swoje wypowiedzi zdaniem: "Nigdy nie rywalizuję, tworzę nowe wartości i to jest cała tajemnica".

Czy to ma sens? Myślę, że ogromny.

Pewien psychiatra, zabierający głos przed dystyngowanymi kolegami, obdarzony został salwą gromkiego śmiechu. Próbował on przedstawić obraz nowoczesnych dyrektorów. Zaklasyfikował ich do czterech grup. Pierwszy, to wrzodowo-żołądkowiec, który martwi się problemami. Drugi typ, tarczycowiec, który biega wokół problemu. Trzeci, to typ adenoidalny, który wykrzykuje i wymyśla. Zaś czwarty jest typem hemoroidalnym. Typ ten siedzi na problemie i czeka, aby wszystko się rozwiązało i wyjaśniło.

Każdy dorosły człowiek jest dyrektorem, jeżeli nie firmy, w której pracuje, to przynajmniej własnego życia i rodziny.

Jakim jesteś Ty dyrektorem? Czy tworzysz, czy konkurujesz? Jeśli masz kłopoty w zakresie kierowania własnym życiem, spróbuj zmobilizować się i skoncentrować nad sobą, nad ludźmi, którzy Cię otaczają. Włącz swoją twórczą wyobraźnię. Pracuj i notuj to co ona wyprodukuje, a następnie wdrażaj w życie.

Henry Ford powiedział: **"Myślenie jest najtrudniejszą rzeczą ze wszystkich, może to jest powodem, że tak niewielu ludzi mu się oddaje".**

Zamiast się martwić, nie trać czasu, przeznacz go na twórcze, owocne myślenie. Nowe trendy wzrostu w Twoim życiu będą dla Ciebie korzystne. Pracuj nad następującymi zagadnieniami:

-moja praca
-moja firma
-moje osobiste związki
-moje zdrowie

Jakie nowe pomysły nasuną Ci się w tych dziedzinach życia? **Ćwicz swój umysł twórczy, zapisuj pomysły i działaj!**

36. CZY JESTEŚ PRZYGOTOWANY NA ZBLIŻAJĄCE SIĘ SZANSE

Powodzenie w życiu nie jest sprawą szczęścia czy przypadku. Sedno tajemnicy leży w Twoim przygotowaniu.

Nic nie przychodzi bez działania, bez wysiłku. Jeśli pracujesz systematycznie z dnia na dzień, podążasz do wyznaczonego celu. Utrwalasz w sobie przekonanie, że w odpowiednim czasie nadejdzie okazja, ta oczekiwana. I kiedy przyjdzie nie będziesz zaskoczony, bo byłeś na nią przygotowany. Działając poszerzasz swoją wiedzę, bogacisz doświadczenia, zdobywasz nowe sprawności i umiejętności.

Okazje przychodzą do Ciebie wiele razy w różnej postaci. Problem nie polega na tym, kiedy one przyjdą, lecz czy jesteś dostatecznie przygotowany na przyjęcie ich, czy będziesz je umiał w odpowiednim czasie rozpoznać i podjąć działanie.

Żyją wśród nas ludzie, którzy narzekają na brak okazji. Myślę, że są to tacy, którzy uważają, że świat jest im coś winien. Zwykle siedzą biernie i czekają na coś cudownego, coś, co ma do nich samo przyjść bez najmniejszego wysiłku z ich strony.

Są i tacy, którzy ciągle są przekonani, że najważniejsze są znajomości, a nie wiedza. Dziwne podejście do życia! Nie może być nic bardziej błędnego niż takie stwierdzenie.

Wśród Turków krąży przysłowie: Diabeł kusi wszystkich mężczyzn, lecz bezczynny człowiek kusi diabła.

Bezczynność jest straszna, dokonuje wiele złego w duszy i w myślach człowieka. Prowadzi donikąd.

Człowiek aktywny, mający ciągle świeże pomysły osiąga wszystko czego zapragnie. Oczywiście nie wszystkie marzenia mogą być zrealizowane szybko i w pełnym wymiarze. Potrzeba zwykle wytrwałości i czasu, aby je osiągnąć.

37. PROMOWANIE WŁASNEJ OSOBY

Czy kiedykolwiek nasunęło Ci się skojarzenie, że każdy człowiek zaangażowany jest w sprzedaż?

Ludzie zarabiają na swoje utrzymanie poprzez ciągłe sprzedawanie swoich wartości, umiejętności, talentów, produktów lub usług innym.

Wszystko, co się uzyskuje uzależnione jest od tego ile wartości zostaje wniesionych do życia i pracy innych ludzi.

Kiedy staniesz się doskonały w sprzedawaniu siebie, swoich produktów lub usług drugim, będziesz miał fantastyczne życie, pełne bogactwa, nagród i uznania.

Pewne grupy ludzi, a także indywidualne jednostki nie miały wewnętrznego przekonania do tego wszystkiego co wiązało się ze sprzedażą i handlem.

W Polsce szlacheckiej handel pozostawiony był ludziom "obcym". Najczęściej zajmowali się nim Żydzi i Niemcy, którzy chętnie trudnili się tym i dochodzili do znacznych fortun.

Przez wiele lat pokutowało nastawienie i wiara, że sprzedaż jest czymś nieprzyjemnym a nawet hańbiącym. Wobec takiego nonsensownego pojęcia ten rodzaj pracy nie mógł być środkiem do utrzymania.

Ludzie odnoszący się lekceważąco do sprzedaży czynią to dlatego, że sami nie mieli lub nie potrafili osiągnąć zadawalających rezultatów w sprzedaży oraz bywają onieśmieleni przez tych, którzy robią to doskonale.

Dlatego nie jest ważne to, czy trudnisz się sprzedawaniem w celu zapewnienia sobie i rodzinie utrzymania, ale to, jak dobry jesteś w handlu.

W związku z tym, że nieustannie każdy sprzedaje siebie lub sprzedaje coś w biznesie, trzeba nauczyć się być dobrym sprzedawcą. "Sprzedajesz" siebie przyjaciołom, osobom o odmiennej płci, osobie, którą chcesz poślubić, pracodawcy, kolegom, współpracownikom, itd. Ogólnie można powiedzieć, że sprzedajesz się we wszystkich współdziałaniach z innymi od rana do nocy, negocjując, perswadując, przekazując i wpływając na innych ludzi. Ta forma sprzedawania jest podstawą wszystkich stosunków z ludźmi. Określa w jakim stopniu dajesz sobie radę w życiu. **Umiejętne i efektywne promowanie siebie pozwala na zrobienie szybkiej kariery życiowej.** Polega to na sprzedawaniu siebie do większej ilości ludzi w wielu miejscach, okolicznościach i czasie.

Celem lub skierowaniem uwagi na to, aby stać się dobrym w samopromocji jest osiągnięcie w przeciągu 5 lat takich postępów, na które komuś innemu potrzeba 15 do 25 lat.

A oto kilka podstawowych zasad dotyczących promowania własnej osoby.

1. Każdy kto robi karierę szybciej niż przeciętna osoba zawsze jest zaangażowany w pewien rodzaj promocji samego siebie. I od tego w jaki sposób to zrobi, zależy jego powodzenie.

2. Efektywne promowanie siebie może zaoszczędzić Ci wielu lat ciężkiej pracy i środków materialnych w porównaniu z ludźmi w Twoim wieku i na Twoim poziomie wykształcenia.

Przedstawienie swoich najlepszych atutów może radykalnie poprawić jakość każdego aspektu Twojego życia.

3. Jednym z ważnych czynników osiągania sukcesu w życiu jest ilość ludzi, których znasz i oni znają Ciebie od strony pozytywnej.

W każdym środowisku, biznesie, przemyśle najbardziej efektywne i wpływowe osoby znane są największej liczbie innych ludzi.

Według badań poczynionych na Uniwersytecie Harvard najcenniejszą wartością dla firmy jest jej reputacja i opinia jaką się cieszy u swoich klientów.

Największym zaś atutem dla człowieka jest to, ilu ważnym ludziom w swoim środowisku jest znany z tej najlepszej strony. Co robi, aby jego reputacja rosła w oczach ludzi, którzy są w stanie pomóc mu w szybkim dojściu do kariery.

4. Promowanie własnej osoby musi być oparte na czymś konkretnym.

Nie możesz stosować zasłony dymnej, oszukiwać lub karmić złudzeniami innych. Nie osiągniesz postępów przez oślepianie ludzi. Nie wystarczy tu tylko sama osobowość. Krótko mówiąc musisz być dobrym w tym co jest cenione przez innych ludzi.

Badania wykazały, że możesz dołączyć do najlepszych klubów, obracać się w najelegantszych kręgach, bywać wśród najbardziej znakomitych osobistości, lecz jeśli nie włożyłeś dosyć wysiłku, aby stać się najdoskonalszym w strefie działania ludzi, których spotykasz, odczujesz małe zainteresowanie Twoją osobą.

Prawo Przyciągania mówi, że bezwzględnie będziesz przyciągał do siebie ludzi, którzy są bardzo do Ciebie podobni.

Będziesz miał wiele wspólnego z ludźmi, którzy są na poziomie Twojego rozwoju lub mają podobne albo takie same zainteresowania.

Szefowie dużych firm mają tendencje łączenia się z innymi szefami największych firm.

Aktorzy z wielkimi osiągnięciami przyjaźnią się z gwiazdami ekranu.

Nawet w organizacjach zrzeszających handlowców ludzie odnoszący sukcesy mają tendencję do spotykania się i spędzania ze sobą czasu.

Kiedy pragniesz wejść do grona ludzi znaczących nie unikniesz zapłacenia wpisowego. Musisz zasłużyć na prawo wiązania się z ludźmi, którzy mogą Ci być pomocni.

Punktem wyjścia do promowania siebie jest postawienie celu i stworzenie konkretnego planu dającego Ci możliwość stania się jednym z najlepszych ludzi w Twojej dziedzinie.

Stając się lepszym pozyskujesz szacunek i masz coraz większy kontakt z ludźmi mającymi życiowe osiągnięcia.

Dla Twojego rozwoju niezbędne jest, abyś czytał książki, czasopisma, słuchał nagrań inspirujących Cię do działań, uczestniczył w seminariach. **Umiejętności, które posiadasz są niezbędne w dziedzinie Twojej pracy i musisz je rozwijać.** Nie obejdzie się to bez ciężkiej i długiej pracy. Słuchaj cennych rad i wskazówek ekspertów i stosuj je w praktyce. Musisz pokonać tkwiące w Tobie przeszkody. Nie możesz pozwolić na to, aby trzymały Cię one w niewoli i nie pozwoliły iść do przodu.

Cudowną sprawą w aspekcie promowania siebie jest fakt, że wszystko co jest z tym związane, znajduje się pod Twoją kontrolą. Nie jest uzależnione od nikogo i niczego. Możesz ustawicznie piąć się w górę, przebudowywać i rozbudowywać swoją osobowość.

Musisz stawać się lepszym w tym co robisz, świadomie i systematycznie podejmować wysiłki zmierzające do nawiązywania kontaktów z ludźmi, którym możesz pomóc oraz uzyskać od nich wsparcie.

Osoby, z którymi się wiążesz lub identyfikujesz będą miały niezwykle silny wpływ na Ciebie, na Twój sposób mówienia, myślenia, chodzenia, na Twoje odczucia i zachowania, a nawet na reakcje związane z tym co oni robią.

Grupa rówieśników, w której przebywałeś w przeszłości, zadecydowała w znacznym stopniu o Twojej osobowości, o tym jaki jesteś dzisiaj i jaki będziesz w przyszłości.

Kontakt z przyjaciółmi po pracy, podczas weekendów ma również ogromny wpływ na to co robisz i osiągasz.

Każdy zasadniczy punkt zwrotny w Twoim życiu będzie zbiegał się z rozwojem nowej grupy przyjaciół i współpracowników. Jeśli znajdziesz się w grupie wybitnych pracowników, to po kilku miesiącach będziesz im dorównywał.

Życie wielu ludzie jest serią przypadkowych lub ślepych zdarzeń. Najczęściej przyjmują oni pierwszą zaoferowaną pracę, zawierają znajomości w pociągu, autobusie, restauracji nie zwracając uwagi na to, jakie mogą wyniknąć z tego konsekwencje.

Ich kontakty z ludźmi są zupełnie nieplanowane i nieskoordynowane. Robią co prawda w życiu postępy, ale i cofają się. Osiągają bardzo mierne rezultaty.

Ludzie sukcesu z rozwagą dobierają sobie przyjaciół, znajomych, kolegów, współpracowników. Planują swoje życie. Szukają kontaktów z ludźmi, którzy są im potrzebni do realizacji nakreślonych celów. Bardzo dokładnie precyzują to, co zamierzają zrobić.

Baron Rothschild, jeden z najbogatszych ludzi świata we

współczesnym jemu czasie, napisał, że w osiąganiu sukcesu nie można pozwalać sobie na zawieranie niepotrzebnych i bezużytecznych znajomości. To stwierdzenie może wydać się mało demokratyczne. Uczono nas bowiem, że powinniśmy obcować i lubić wszystkich bez względu na ich osobowość, kierunek działania, itd.

Ludzie z wybitnymi osiągnięciami nigdy nie identyfikują się z osobami przeciętnymi. Stawiają sobie wysokie poprzeczki do pokonania. Ich horyzonty myślowe ciągle się poszerzają.

Istnieje rozległa gama rzeczy, pomysłów, sposobów, które możesz wykorzystać do promowania siebie i znalezienia się w czołówce grupy ludzi wiodących. Możesz zwrócić na siebie uwagę tych, którzy będą mogli w krótkim czasie pomóc Ci w zdobyciu kariery. Zacznij od swojej obecnie wykonywanej pracy. Tak jak już wcześniej powiedziałem, musisz być bardzo dobry w tym co wykonujesz teraz i dążyć do coraz lepszych wyników. To pomoże Ci w osiągnięciu sukcesu zawodowego.

Często ludzie sądzą, że w karierze zawodowej pomocne jest uczestnictwo w tak zwanych układach firmy. Udział w rozgrywkach wewnętrznych może być przydatny do pewnego czasu. Jeśli jesteś jednym z najbardziej wartościowych pracowników w firmie lub organizacji działającej w zakładzie, to nie musisz angażować się w rozgrywki personalne, aby zdobyć swoją pozycję czy uznanie. Będziesz zbyt cenny dla firmy i to ona będzie zabiegała o Ciebie.

Kiedy stajesz się lepszy w tym co robisz, zawsze wyjdziesz z zasięgu działania małych rozgrywek personalnych.

Osiąganie perfekcji w tym co wykonujesz jest podstawą do zdobycia respektu i uznania ludzi, z którymi współpracujesz i współdziałasz.

Badania wśród naczelnych dyrektorów firm pozwoliły ustalić co wpływa na osiąganie kariery.

Osoby typowane przez dyrektorów stawiały sobie cele oraz zadania jasno i konkretnie, koncentrowały się na tym co cenne i ważne. Odrzucały wszystko to co przyczyniało się do marnowania ich czasu. Ponadto ci najlepsi ludzie dążyli i wykazywali niezmierne poczucie szybkiego i dokładnego wykonywania pracy.

Potwierdzona pracowitość jest szybko zauważana przez przełożonych.

Prawdą jest, że wielu ludzi wykonuje pracę opieszale, 30% czasu spędza na rozmowach towarzyskich, zaś 15 - 20% czasu marnuje na załatwianie spraw osobistych, na rozmowy telefoniczne, picie kawy, itp. Przeciętnie osoba taka wykorzystuje mniej niż 50% swoich możliwości na wykonanie stojących przed nią obowiązków. Ponadto skupia się na mniej ważnych problemach i przez to niewiele wnosi dla rozwoju firmy.

Jeśli chcesz, aby Twoja praca była wydajna, to rozpoczynaj ją natychmiast, w chwili kiedy usiądziesz przy biurku lub staniesz przy maszynie. Koncentruj się tylko na tym co masz wykonywać. Ustal i uszereguj kolejność zadań według ich ważności. Pracuj z całym zaangażowaniem i wysiłkiem.

Pracuj tak, jakby przełożony cały dzień stał obok Twojego stanowiska pracy i przyglądał się temu co robisz. Narzuć sobie dyscyplinę pełnego dnia pracy, za pełne i godziwe wynagrodzenie.

Pamiętaj, że nawet jeśli nikt nie patrzy na Ciebie to i tak kompetentni ludzie potrafią ocenić jakość i ilość tego co zrobiłeś.

Promowanie siebie w dzisiejszych czasach oznacza, że masz dawać z siebie jak najwięcej, mniej zaś brać i oczekiwać na zwroty.

Szukaj przy każdej okazji sposobności do pomagania swoim współpracownikom po to, aby pracowali wydajniej i coraz lepiej. **Koncentruj się na współpracy a nie na rywalizacji.**

Pomagając innym w osiąganiu czegoś lepszego zyskasz podwojony zwrot tego. Im więcej będziesz pomagał, tym więcej otrzymasz pomocy od innych.

Zgodnie z zasadą działania Prawa Siania i Zbierania, im więcej będziesz ofiarował oraz dawał bez wyczekiwania na zwroty, tym więcej będzie przychodziło do Ciebie z najmniej oczekiwanych źródeł.

Bardzo wiele dobrego można zrobić, jeśli nie czekamy na to komu przypisze się zasługi.

Jeśli w pracy będziesz pomagał przełożonemu w tym celu, aby on był dobrze oceniany, to szef będzie otwierał przed Tobą nowe możliwości, dzięki którym wzmocni się Twoja pozycja.

Promowania własnej osoby powinieneś dokonać w dwóch lub trzech organizacjach lokalnych zostając ich członkiem. Mogą to być kluby biznesowe, organizacje charytatywne, pomocy szpitalnej, Rycerze Kolumba lub organizaje wspomagające wartościowe cele.

Przynależność ta będzie dla Ciebie ważna, bo spotkasz tam ludzi najlepszych, działających na rzecz lokalnego środowiska (sąsiedztwa, parafii, szkoły, osiedla, miasta) w tym celu, aby stało się ono lepszym i przyjemniejszym miejscem do życia i wypoczynku. Ponadto wstępując do takich organizacji staniesz się aktywny. Przyjmiesz na siebie dobrowolnie pewną odpowiedzialność. Jeśli w pracę włożysz całe serce i bezinteresownie będziesz pomagał, to w bardzo krótkim czasie zostaniesz zauważony przez znaczących w tym środowisku ludzi, którzy mogą mieć wpływ na Twoje życie. Wstąp również do partii politycznej. Stań się w niej aktywny. Wspieraj kandydatów, do których masz zaufanie.

Ofiaruj małe datki na rzecz organizacji. Znajdziesz się na liście donatorów. Będziesz zapraszany na zebrania. Spotkasz przy tej okazji różnych wartościowych ludzi. Każda zadeklarowana kwota bez względu na wysokość jest ogromnie ważna.

Włącz się w sprawy swojego lokalnego środowiska. Uczęszczaj na zebrania rady miejskiej, dzielnicowej, itp. Czytaj lokalną prasę. Jeśli znajdziesz artykuł o prominentach z Twojego otoczenia zadzwoń lub napisz do nich, popierając w ten sposób ich działalność.

Tobie powinno zależeć, abyś stał się znany największej liczbie osób ważnych. Szukaj takich ludzi i nawiązuj w nimi kontakty. Wchodź w ich środowisko.

Spotkałem ludzi, którzy zaczynali pracę w swoich biznesach, jako osoby zupełnie nieznane w danym środowisku. Szybko jednak potrafili zaadoptować się, nawiązać kontakty poprzez swoje zaangażowanie w organizacjach środowiskowych i zdobyli uznanie. Swoją postawą, życzliwością, aktywnością pozyskiwali sobie sympatię i szacunek.

Grecki historyk Herodot napisał: **Wszystko w życiu jest działaniem i pasją.**

Podejmij decyzję już w tej chwili, że chcesz się stać jednym z najważniejszych ludzi w Twoim sąsiedztwie. Postaw sobie cele, zrób plan i działaj. Może Ci to zabrać kilka miesięcy, a nawet kilka lat, aby stać się najbardziej szanowanym i wpływowym człowiekiem w Twojej dziedzinie.

Zastanów się również, czy zrobiłeś już wszystko, aby jak najlepiej sprzedać się innym? Czy podjąłeś działania, aby zbliżyć się do ludzi wpływowych i pozyskać ich dla siebie?

38. NIE TRAĆ CZASU

Czy zastanowiłeś się wystarczająco nad nieubłagalnym upływem czasu? Nad sobą, swoim życiem, które jest sumą niepowtarzalnych cząsteczek?

Może próbujesz sobie wmówić, że istnieje życie przeciętne, szare, tworzące łańcuch dni, podczas których w zasadzie nic się nie dzieje? A może widzisz swymi oczami inne życie, podobne do ciągłego wzlatywania ogni sztucznych? Boisz się, że nie zdołasz poznać tego co niesie radość. Mylisz się.

Dzień dzisiejszy, ten konkretny moment, który przeżywasz jest niepowtarzalny.

Twoje życie płynie, a Ty czekasz na specjalne zaproszenie do przeżycia czegoś wzniosłego, wielkiego. Marzysz. Pod koniec dnia myślisz: Jeszcze jeden dzień przeminął, w którym nie spełniły się moje oczekiwania.

Życie Twoje upływa, nic i nikt nie jest w stanie go zatrzymać. Mija wiele wspaniałych okazji dla Ciebie, a Ty wciąż czekasz. Ale na co?

Uczyń wysiłek, przerwij tę martwotę, zacznij działać. Korzystaj z każdej chwili.

Twoje życie należy do Ciebie, tylko Ty możesz zmienić do niego podejście.

Zainteresuj się tym co dzieje się wokół Ciebie. Myśl i patrz na otwierającą się przyszłość. Ona bowiem powinna stać się wielkim świętem Twojego życia.

Wiek nie ma tu znaczenia.

Pamiętaj, że **starzy są tylko ci, którzy przestali patrzeć i interesować się.**

Nawet jeśli nazbierało Ci się lat, ale potrafisz cieszyć się tym co dzieje się wokół Ciebie, jeśli Twoja uwaga pozostaje czujna, jeżeli wiesz, że wszystko jest nowe, że nic się nie powtarza - **jesteś ciągle młody.**

Pozostaniesz młody tak długo, jak długo Twoja ciekawość będzie podobna do żywego płomienia, dopóki będziesz w pełni aktywny.

Jeśli kieruje Tobą ciekawość i odczuwasz pragnienie, to będziesz miał nadzieje na inne życie. Wszystko jest możliwe, wszystko zależy od Ciebie.

Jesteś niepowtarzalny. **W tłumie ludzi nie znajdziesz dokładnego powtórzenia swojej osobowości. Jesteś jedyny. W tym właśnie tkwi tajemnica, piękno i wielkość naszego życia. Wszyscy jesteśmy poddani temu samemu prawu życia, a każdy jest niepowtarzalny.**

Naucz się znajdywać swoje miejsce w świecie. Naucz się patrzeć, czuć, zapamiętywać, a także dawać.

39. AKRY DIAMENTÓW

Jest wiele opowiadań, przypowieści tak trafnych, że nigdy się nie starzeją i nie tracą na ważności.

Myślę, że wiele osób zetknęło się z opowiadaniem "Akry diamentów". Nikt już dzisiaj nie wie kto po raz pierwszy je opowiedział. W Stanach Zjednoczonych spopularyzował tę historię dr Russell Herman Conwell. Organizował on spotkania ze słuchaczami. Zebrał od nich 6 milionów dolarów, które przeznaczył na budowę Temple University w Filadelfii, szkoły dla biednych, uzdolnionych chłopców.

Dr Conwell opowiadał "Akry diamentów" więcej niż 6 tysięcy razy przyciągając zawsze tłumy ludzi. Opowiadał tę historię po to, aby ludzie wyciągnęli z niej dla siebie najwięcej wartości i stosowali je w życiu.

A oto opowiadanie:

W Afryce żyje farmer w tym czasie, gdy odkryto tam diamenty. Pewnego dnia odwiedził jego dom podróżnik i opowiedział mu o milionowych fortunach robionych przez ludzi, którzy odkrywają diamenty. Farmer sprzedał swoją posiadłość i powziął decyzję, że

129

zostanie poszukiwaczem diamentów. Wędrował przez kontynent i nie udało mu się znaleźć tych szlachetnych kamieni. Jak historia mówi został bez grosza i z nadszarpniętym zdrowiem. Zniechęcony do życia rzucił się do rzeki i utonął. Farmę odkupił młody człowiek. Znalazł on w rzece przepływającej przez jego posiadłość nadzwyczajnie duży kamień. Położył go przy kominku jako piękny okaz. Pewnego dnia dom jego odwiedził ten sam podróżny co poprzedniego właściciela. Zbadał dziwny kamień i powiedział, że jest to jeden z największych diamentów jaki został znaleziony i że wart jest królewskiej fortuny. Farmer powiedział mu, że tych kamieni jest bardzo wiele na jego ziemi.

Pierwszy właściciel farmy ruszył w poszukiwaniu diamentów nie będąc świadomy tego, że ma akry diamentów w swoim zasięgu. Nie zbadał terenu wokół siebie, przed tym zanim podjął decyzję sprzedaży majątku i zanim podjął ucieczkę do czegoś co może przyniesie mu szczęście.

Dr Conwell przy okazji opowiadania tej histori zwracał ludziom uwagę na to, że bez względu, gdzie żyjemy i co robimy jesteśmy otoczeni diamentami. Często tych diamentów nie dostrzegamy chociaż, są wokół nas.

Na pierwszy rzut oka, to co odkryjesz może wydać Ci się bezwartościowe, ale po głębszej analizie, oczyszczeniu i oszlifowaniu stwierdzisz, że jest to bezcenny kamień.

Każdy człowiek posiada zasoby talentów, zdolności, które są niczym innym jak akrami diamentów. Zechciejmy je wydobyć z siebie. Poddajmy je obróbce, a dadzą nam one prawdziwe szczęście.

Są osoby, które mają trudności z odkryciem własnych wartości. Ale od czego są najbliżsi, znajomi, ludzie kompetentni?

Spróbuj skorzystać z ich uwag, rad. Pomogą Ci dostrzec Twoje diamenty. Musisz tylko z nich zrobić odpowiedni dla siebie użytek. Wykorzystaj je i rozwijaj swój potencjał.

40. ZŁOTA ZASADA SUKCESU

Wiele milionów słów zostało wypowiedzianych i napisanych na temat sukcesu. Jest to temat bardzo stary, ale wiecznie aktualny. Dotyczy on każdej dziedziny naszego życia zarówno osobistego, jak i zawodowego.

Uczono nas jak mamy chodzić, śmiać się, być pełni entuzjazmu. Czasopisma, radio, telewizja mówią i sugerują, że mamy promieniować zdrowiem, wyglądać młodo i pachnąco.

Wszyscy pragniemy zdobywać przychylność tych, którzy są ważni dla nas, dla naszej rodziny, przyjaciół, współpracowników, klientów. Przez wiele lat studiowałem losy ludzi sukcesu, ich metody działania. Robiłem to po to, aby naszkicować sobie obraz człowieka sukcesu.

Znalazłem bardzo miłych, ciepłych i serdecznych ludzi, którzy zdecydowali się uzyskać w życiu więcej niż przeciętne osoby. Wielu z nich miało już założone rodziny.

Kiedy zebrałem dostateczną ilość materiału spróbowałem wycisnąć z tego to, co jest najistotniejsze. Znalazłem coś, co jak się okazuje, nie było mi obce. Sięgnąłem na półkę po starą książkę i znalazłem w niej zdanie, które wyrazi sens tego lepiej niż ja mógłbym to zrobić. Są to słowa św. Mateusza 7:12

Wszystko więc co byście chcieli, żeby wam ludzie czynili i wy im czyńcie! Albowiem na tym polega Prawo i Prorocy .

Jeśli przeanalizujesz te słowa stwierdzisz, że jest to złota zasada na osiąganie szczęścia, powodzenia i sukcesu.

Kiedy traktujesz ludzi tak, jak sam chciałbyś być traktowany, to będziesz otrzymywał to samo lub znacznie więcej.

Ludzie sukcesu przyczyniają się do rozwoju własnej osobowości oraz świata.

Według opinii Carla Rogersa i dr Abrahama Maslowa ludzie sukcesu dochodzą do celu dzięki wytężonej pracy. Posiadają oni talent wydobywania z siebie prawdziwych wartości i ujawniania ich na zewnątrz.

41. DROGA DO SUKCESU

Chciałbym się podzielić dorobkiem wybitnych ekspertów zajmujących się psychologią sukcesu. Ludzie ci bardzo wnikliwie studiowali potencjał ludzki.

Jedni przedstawili światu siłę pozytywnego myślenia, ukazali biznesowi amerykańskiemu drogę do doskonałości, inni wskazali ludziom, jak można pokonać choroby nawet śmiertelne, jeżeli zmienią swoje nastawienia i tryb życia.

Do najbardziej godnych uwagi należą: **Napoleon Hill, Norman Vincent Peal, Tom Peters, Norman Cousine, Leo Buscaglia, Earl Nightingale, Denis Waitley, Wayne Dyer.**

Zastanów się czy jesteś w okresie odnoszenia sukcesów, czy posiadasz zdolności człowieka sukcesu, czy wyrobiłeś sobie nawyk osiągania sukcesu. Może tkwisz w nieokreślonym punkcie i nie potrafisz znaleźć z niego wyjścia lub dopiero wchodzisz w życie po ukończeniu szkoły i jeszcze nie wiesz, jak masz rozpocząć działanie. A może brak Ci pewności siebie, mimo że masz duże predyspozycje i talent. Nie potrafisz uaktywnić swoich wewnętrznych potencjałów. Zostawiasz wszystko losowi, przypadkowi, który tym pokieruje.

Wiadomości w tym rozdziale mają pomóc Ci do tego stopnia, abyś był zdolny podejmować odpowiedzialność za swoje życie i przestał tracić czas na niepotrzebne zamartwianie się o przyszłość, abyś rozpoczął działania i robił postępy o jakich trudno Ci było marzyć do tej chwili.

Zaczniesz nakreślać sobie wyraźne cele. Poczujesz się znacznie lepiej. Twoja rodzina, koledzy w pracy zauważą zachodzące u Ciebie zmiany. Zaczną inaczej patrzeć na Ciebie. Zauważysz, że w każdym przedsięwzięciu, do którego się zabierzesz będziesz osiągał lepsze rezultaty niż dotychczas. We wszystkim co będziesz robił zaczniesz odczuwać radość i zadowolenie. Będziesz chodził wyprostowany, z podniesioną głową. Poczujesz się wyższy, a wygląd Twój będzie bardziej atrakcyjny. Ludzie będą Cię dostrzegać, słuchać z zainteresowaniem. Bez trudu będziesz umiał zdobywać pracę i zamówienia dla firmy. Osiągniesz łatwość porozumiewania się z otoczeniem. Twoje zarobki zaczną wzrastać. Uwierzysz w swoją szczęśliwą gwiazdę i możliwości, jakie niesie Ci los.

Zaczniesz odrzucać złe nawyki zachowania, które przeszkadzały Ci w utrzymaniu dobrych stosunków z innymi ludźmi. Będziesz umiejętnie wykorzystywał wrodzone zdolności i do maksimum rozwijał swój potencjał.

Źródło wszystkiego co dobre jest w Tobie.

Po moich ciężkich doświadczeniach wojennych (obozy koncentracyjne, pobyt na Pawiaku), kiedy cały świat zawalił się, zacząłem szukać pomocy u ludzi i w książkach. Ogromnie pomocną okazała się książka Dale Carnegie "How To Win Friends and Influence People". Przeznaczyłem sporo czasu na przestudiowanie jej. Zacząłem wprowadzać w życie proponowane przez autora rozwiązania i sugestie. Zauważyłem, że mój świat zaczyna ulegać zmianie. Również i ludzie wokół stali się inni. Z większą łatwością nawiązywałem kontakty.

Wielką pomocą dla mnie było słuchanie wypowiedzi Earl Nightingale, który potrafił we właściwy tylko sobie sposób przekazywać prawdy o życiu i dawać wskazówki, jak kierować własnym przeznaczeniem. Dzięki niemu nauczyłem się pozytywnego spostrzegania i odczuwania świata.

I Ty nauczysz się przyciągać łaskawy los i staniesz się magnesem dla dobra i szczęścia. Zaczniesz ładować umysł pozytywnymi myślami. Nauczysz się opanowywać negatywne myśli i ból, pokonywać stresy.

Źródło wszystkiego co dobre jest w nas. Możemy śmiało czerpać z niego wszystko co najlepsze.

Do tego, abyśmy mogli żyć pełnym szczęściem, konieczne jest stawianie wyraźnych, jednoznacznych celów. Będą one wytwarzały w nas energię i entuzjazm tak ogromnie potrzebny do działania. Osiągnięcia będą potwierdzały poczucie naszej wartości.

Zauważ, że zadowolenie zwykle przychodzi w wyniku celowego działania i pozytywnego ukierunkowania. Marzenia przeistaczają się we wspaniałą rzeczywistość.

Ludzie sukcesu mają własny plan działania. Oni wiedzą dokąd zmierzają każdego dnia. Myślą o swoich celach i życie ich jest ukierunkowane na te cele. Nieustannie analizują to co osiągnęli lub przyczyny powodujące porażki, a równocześnie jasno nakreślają sobie dalsze działania.

Postępowa realizacja godnych i znaczących celów przynosząca dobro dla nas i innych ludzi, to dobra definicja sukcesu.

Nabierz przekonania do siebie i swoich umiejętności

System człowieka można porównać do torpedy podążającej do celu lub automatycznego pilota, który zaprogramowany jest na określony punkt. Urządzenia naprowadzają torpedę lub pilota w momencie, gdy zboczy z prawidłowego toru. Korygują błędy. Wszystko odbywa się bez pomyłek jeśli działa sprawnie system kontroli. Na brytyjskim statku pracował fotograf. W czasie jednego z rejsów z San Francisco do Anglii spotkał człowieka, który wywarł wpływ na późniejsze jego życie. Wszystko zaczęło się od pytania: Co zamierzasz zrobić ze swoim życiem? Pytanie to zaszokowało młodzieńca. Nigdy nie zastanawiał się nad własnym życiem. Spowodowało to burzę w jego umyśle, jak powiedział. Lubił podróżować, fotografować ludzi na statku, przyrodę, miasta portowe, ale jak długo może go to pociągać.

Przygodny podróżny wytłumaczył mu, że nie ma znaczenia, w jakim kierunku podąża. Ważne, aby odnosił sukcesy. Kluczem do tego jest obranie właściwego kursu, który będzie satysfakcjonował i pozwalał realizować zadania.

Fotograf przypomniał sobie, że w Anglii pracował w handlu. Było to zajęcie interesujące i odnosił sukcesy. Sprzedawał lodówki i telewizory. Postanowił wrócić do handlu i skoncentrować cały swój wysiłek i zdolności w tej dziedzinie. Podobało mu się San Francisco i postanowił zostać w tym mieści. Miał jednak obawy czy uda mu się pomyślnie wystartować. Rozmówca szybko pomógł mu rozwiać wątpliwości. Zasugerował nawiązanie kontaktu telefonicznego z przedsiębiorstwami handlowymi i z właścicielami dużych sklepów. Numery były dostępne w książkach telefonicznych.

Przestrzegł młodego człowieka, aby nie dawał wciągnąć się innym do poziomu ich myślenia i działania. **Trzeba działać według własnego planu i koncepcji.**

Przed podjęciem decyzji fotograf spotykał się z różnymi opiniami dotyczącymi jego zamiarów. Było sporo osób, które odradzały mu otwarcie biznesu w Ameryce. Stwierdzały, że nie wytrzyma konkurencji, że zgubi się w tym obcym kraju, itp. Kim byli ci ludzie? Myślę, że nic nie osiągnęli w swoim życiu, nie byli zdolni do ponoszenia ofiar, nie umieli jasno sprecyzować celów i działań. Wszystkie opinie były analizowane przez młodego Anglika. Nabrał on przekonania do siebie i do swoich umiejętności. Nakreślił sobie cel i plan działania. Uwierzył we własne siły. Nie czekał długo na realizację pomysłów. Przystąpił do działania z dużym opytmizmem i entuzjazmem.

Dla każdego z nas istotne jest wyraźne sprecyzowanie marzeń, wprowadzenie ich do własnego systemu, do umysłu, który będzie pomagał w realizacji postawionych celów.

Programowanie niejasnych celów lub koncentrowanie się na nierealistycznych celach, na czymś co znajduje się poza zasięgiem naszych możliwości doprowadzi do zniszczenia naszego systemu. Ten proces możemy porównać do rakiety, którą wystrzelono z niekompletnymi parametrami i nigdy nie osiągnęła zaplanowanego celu. Uległa samozniszczeniu.

Człowiek może się spalać w działaniach, które nie mają sensu, a zabierają tylko cenny czas.

Musisz widzieć dokąd podążasz

Ludzie sukcesu to ci, którzy zawsze mają jasno sprecyzowany cel i do niego zmierzają.

Nieudacznicy, przegrani błądzą bez celu niszcząc siebie.

Nawet w ekstremalnych sytuacjach, warunkach trzeba mieć cel. Łatwiej wówczas przeżyć najstraszliwsze momenty. Sam tego doświadczyłem w czasie pobytu w obozach koncentracyjnych.

Dr Victor Frankel (psycholog z Wiednia), jako więzień obozu koncentracyjnego w Auschwitz, a później w Dachau opisał swoje przeżycia i doświadczenia z tego okresu. Obserwował siebie i współtowarzyszy, którzy zostali pozbawieni niemal wszystkiego. Zabrano im rodziny, posiadłości, ubrania, zdrowie, a nawet nazwisko w zamian dając numer obozowy. Oprawcy sięgali często po godność osobistą człowieka.

Dr V. Frankel stwierdził, że więźniowie, którzy wierzyli, że ktoś bliski na nich czeka, że są komuś potrzebni, posiadali cel przeżycia najokropniejszych dni. Było to skuteczne.

Byli i tacy, którzy nie mieli rodzin. Oni to stawiali sobie cel przeżycia, aby na wolności dać świadectwo prawdzie, wskazać oprawców i domagać się ich ukarania.

Frankel widział wiele słabości ludzkich, ale dostrzegał też heroiczne wysiłki. Ludzie z narażeniem życia nieśli pomoc tym, którzy jej bardzo potrzebowali.czasem wydawało się, że w ich bohaterskim, odważnym postępowaniu była pogarda dla śmierci. Ryzykując własnym życiem walczyli o godność człowieka, dzielili się z innymi tym co posiadali.

Ludzie, którzy nie mieli przed sobą celu mimo doskonałej kondycji fizycznej ginęli bardzo szybko.

Ci, którzy uwierzyli w swój los i podejmowali odpowiedzialność za swoje życie - przetrwali.

Wiara w szczęśliwe zakończenie wojny dodawała sił. Cel trzymał przy życiu.

Byli i tacy, którzy twierdzili, że nie oczekują niczego w swoim życiu. Stawiali siebie na pozycji przegranej.

Życie wymaga od nas daniny. Od nas zależy jaki będziemy mieli wpływ na przebieg życia.

Kiedyś spotkałem profesora Jerry'ego Jampolski, znanego psychiatrę, lekarza, dyrektora kliniki dla dzieci nieuleczalnie chorych. Zajmuje się on leczeniem poprzez zmianę postaw ludzkich. Jest autorem znanej książki "Love Is Letting Go Of Fear". Ma on na swym koncie wiele cudownych uleczeń, których normalna medycyna nie potrafiła wytłumaczyć.

Medycyna bywa często bezradna wobec różnych chorób. Lekarze nie dają nadziei na wyleczenie. Do tragedii dochodzi, gdy chory załamie się i uwierzy, że za kilka tygodni czy miesięcy pożegna się z życiem. Bywają ludzie odporni psychicznie, którzy nie wierzą w takie pesymistyczne prognozy.

Przytoczę historię księdza Watsona. Pracował on w jednej z parafii w południowo-zachodniej części Stanów Zjednoczonych. Całe życie czuł się doskonale. W wieku 50 lat poczuł niepokojące bóle żołądka. Badania wykazały, że jest zaatakowany przez nowotwór, że ma liczne przerzuty. Żadne leki nie były w stanie mu już pomóc. Według prognozy lekarza pozostały mu tylko trzy miesiące życia. Ksiądz postanowił wykorzystać je na uporządkowanie spraw osobistych. Zdecydował się na zmianę miejsca pracy. Wybrał mały kościół w Mexico City. W trzecim tygodniu swej pracy zauważył w kościele małego chłopca wyjmującego z puszki pieniądze. Zatrzymał go. Z rozmowy dowiedział się, że chłopiec jest sierotą. Jest on fizycznie maltretowany i wykorzystywany.

Ponieważ ksiądz nie miał już wiele dni do przeżycia, postanowił działać błyskawicznie. Zaadoptował chłopca. W następnych dniach objął opieką kolejne sieroty. Był mocno zaangażowany w sprawę. Okazało się, że prognozy lekarza nie sprawdziły się. Ksiądz Watson przygarnął w ciągu dalszego swojego życia 5000 sierot. Nakręcono o nim film w 25 rocznicę przybycia do Mexico City.

Mamy przykład, że nie wolno wierzyć prognozom ludzi. Powinna być zawsze wiara. Ona czyni cuda.

Ojciec Watson znalazł cel, czuł się potrzebny dzieciom. Wszystkie swoje siły skoncentrował na sierotach. Odwrócił uwagę od choroby i to przyczyniło się do zmiany stanu zdrowia.

Własne przekonanie i zasady moralne są ogromnie ważne w życiu.

Musisz wiedzieć dokąd podążasz. **Tam, gdzie są marzenia, tam jest i nadzieja. Marzenia z czasem stają się naszymi celami, do osiągnięcia których będziemy zmierzać.**

Jim Rols - filozof, doradca, trener, spotkał w swojej młodości unikalnego człowieka, odnoszącego sukcesy. Był nim Al Show. W czasie rozmowy Jim Rols spytał rozmówcę co jest potrzebne, aby stać się człowiekiem sukcesu.

Al Show zatrudnił Jima w swej firmie. Pracował tam pięć lat. Udało mu się pilnie obserwować szefa, poznawać jego filozofię życiową. Pan Shaw dzielił się doświadczeniami, inspirował młodego człowieka do myślenia, działania zmieniając całe życie Jima. Nauczył go zrozumienia ważności posiadania celów i stawiania ich sobie.

Osobowość, styl życia, osiągnięcia, dochody wszystko to uległo radykalnej zmianie od momentu, kiedy Jim Rols wiedział dokąd zmierza i w jakim celu.

Wszyscy jesteśmy pod wpływem pięciu czynników:
- środowiska, w którym żyjemy

- okoliczności
- wiedzy
- rezultatów
- marzeń, poglądów na przyszłość

Skoncentrujmy się na marzeniach, które związane są zawsze z naszą przyszłością. Przyszłość powinna być mądrze i dobrze zaplanowana. Przy planowaniu bardzo ważne jest nasze nastawienie. Czego oczekujemy. Czy oczekując dobra jesteśmy radośni, czy też spięci. Czy czujemy się szczęśliwi.

Kiedy już zaplanowałeś przyszłość, masz jasno sprecyzowane dążenia, zaczynasz intensywnie myśleć. Myśli te pobudzają i zapładniają Twoją wyobraźnię. Ona zaś uruchamia mechanizmy działania.

Przyszłość staje się lepsza nie przez nadzieję, lecz przez planowanie, projektowanie, poprzez cele, jakie sobie stawiasz. Ściśle określone cele, to autentyczny magnes przyciągający Cię we właściwym kierunku. Im intensywniej pracujesz nad postawionymi celami, tym łatwiej będziesz pokonywał trudności na drodze do ich realizacji. Bywa, że musimy stoczyć walkę z przeciwnościami, aby sięgnąć po lepszą, wymarzoną przyszłość.

Cele człowieka można porównać do korzenia rośliny. Jeśli posadzimy ją w małej doniczce, korzenie będą miały ograniczoną możliwość funkcjonowania, a to odbije się na rozwoju rośliny. Podobnie jest z nami. Poczucie własnej wartości, wiara w swój potencjał otwiera przed nami szansę rozwoju.

Większość ludzi uważa, że stawianie sobie celów to marnowanie czasu. Wolą oglądać w programach telewizyjnych bohaterów robiących pieniądze, którzy z radością rozwijają własną karierę. Próbują żyć ich życiem, ich celami. Nie chcą podjąć najmniejszego wysiłku zrobienia czegoś dobrego dla siebie. Dla wielu przeżycie jednego dnia wymaga zużycia ogromnej ilości energii.

Miliony ludzi żyje z dnia na dzień bez celu. Jest to zwykła egzystencja.

Siła wewnętrzna

Ci, którzy osiągają sukcesy wierzą, że **celowe działanie jest kierunkowskazem do zwycięstwa.** Zawsze wiedzą dokąd idą i co w danej chwili mają zamiar robić. Z góry zakładają powodzenie w działaniu. Marzenia dla nich są samospełniającym się proroctwem. Zwykle otrzymują to na co oczekiwali.

Wewnątrz nas tkwi ogromna siła, mechanizmy popychające do działania, do aktywności. Umysł odróżnia rzeczywiste zdarzenia od tych, które sobie żywo wyobrażamy. Jeżeli wyobraźnia zostanie podbudowana dostateczną ilością szczegółów, to stają się one osiągalnym celem. Czy kiedykolwiek zastanawiałeś się nad swoimi nawykami? Mamy ich wiele. Jedne są pozytywne inne zaś negatywne. Jeśli zdajemy sobie sprawę i próbujemy wyeliminować złe nawyki (świadome lub podświadome) działamy na swoją korzyść. Nie zawsze udaje się dokonać tego poprzez własną wolę i stanowczość. Czasem potrzebna jest ingerencja z zewnątrz.

Każdy posiada siłę wewnętrzną, dzięki której może zmieniać swoje nawyki, nastawienia, osobowość. Tą siłę otwiera mechanizm zwany opiekunem umysłu. Z naszego mózgu promieniuje cała sieć komórek 4-calowej długości. Jest to specjalnie aktywny system wielkości ćwiartki jabłka, określany często "apple computer". Ten reaktywowany system spełnia specjalne funkcje. Przepuszcza i filtruje wszystkie widoki, zapachy, dźwięki. Ustala i decyduje, które elementy mają na nas zrobić wrażenie i stać się częścią naszego życia.

Wycisz się na moment i staraj się uchwycić wszystkie odgłosy dochodzące do Ciebie z różnych źródeł. Czy nie jest to ciekawe, że możesz się na tym skoncentrować.

System nasz ma zdolność wyłączania wszystkich tych elementów, które nie stymulują nas. To pomaga nam w skupieniu się nad tym co jest dla nas ważne. Możemy słyszeć w tym samym czasie wiele głosów: płacz dziecka, wycie syreny, szum wiatru, rozmowy ludzi. Koncentracja nad tym co wykonuję w danej chwili może zostać osłabiona. Następuje rozdwojenie uwagi. W momencie, gdy zdecydujemy, że pewne głosy, odczucia, zapachy są dla nas ważne zostanie zaalarmowany nasz system i natychmiast przekaże te informacje do świadomości.

Tę właściwość możemy wykorzystywać przy zaprogramowaniu systemu na wszystkie elementy, które prowadzą do sukcesu. Mamy wcześnie wstać. Możemy zaprogramować swój system, na przykład na budzenie się o odpowiedniej godzinie rano (bez używania budzika).

Pamiętać trzeba o zachowaniu ostrożności. Uwagę należy koncentrować na tym, dokąd rzeczywiście chcesz zmierzać i co pragniesz osiągnąć.

Nikt lepiej nie potrafił wyrazić wiary w stawianie sobie celu, jak Earl Nightingale. Mówił on, że ludzie, którzy posiadają cele odnoszą sukcesy zaś ci, którzy ich nie mają zbierają porażki.

Stajemy się tym o czym myślimy.

Marek Aureliusz powiedział: "Życie człowieka jest tym, czym je myśli zrobią".

Deserele zaś: "Wszystko sprowadza się do tego, do czego człowiek swoimi myślami doprowadził. Nic nie może się przeciwstawić jego woli, jeśli postawił sobie cel i widział jego spełnienie".

Twój umysł jest tajemniczy i skomplikowany

Ludzie mogą zmieniać swoje życie przez zmianę swojego nastawienia.

Jeżeli chcesz być bogatym, to będziesz. Jeżeli marzysz, aby być dobrym, będziesz nim. Musisz tego bardzo pragnąć. Nie możesz w tym czasie myśleć o niczym innym. Pismo Święte (Marek; 23) mówi, że wszystko jest możliwe dla tego, kto uwierzył.

Jeśli myślisz o negatywnych rzeczach, to otrzymujesz negatywne rezultaty. Musisz wierzyć i odnosić sukcesy. Obawy są zdrajcami, które nie pozwalają nam z łatwością osiągnąć dobra.

Bernard Shaw twierdził, że ludzie zwykle obarczają innych za swe niepowodzenia. Winią też stosunki i okoliczności.

Ludzie niemal od urodzenia nieustannie czegoś poszukują. Stwarzają przeszkody często nie zdając sobie z tego sprawy.

Trzymając się zasady, że stajemy się tym o czym myślimy, nie możemy mieć żadnych wątpliwości ani lęków, zaś cele muszą być konkretne.

Nasz umysł możemy porównać do ziemi uprawianej przez rolnika. Ziemia nie ma wyboru, uzależniona jest od decyzji siewcy. Może on na tym samym kawałku ziemi posiać kukurydzę i rośliny o trujących nasionach. Obydwie te rośliny będą rosły i przygotowywały swoje owoce. Ludzki umysł jest tajemniczy i skomplikowany. Nie ma dla niego różnicy co w nim posiejesz. Możesz zasiać sukces albo niepowodzenie. To co posadzisz, to będziesz zbierał.

Jedną z doskonałych metod w przyspieszaniu osiągania celów jest wypisanie ich na kartce i głośne powtarzanie kilka razy dziennie. Zapisy mogą być jednozdaniowe lub kilkuzdaniowe. Na przykład: Czuję się doskonale. Jestem zdrowy. Czuję się dobrze. Ważę 140 funtów. Jestem pełen energii i przepełniony radością. Moją utratę wagi osiągam bez stresów. Cieszę się z mojego wyglądu. Używaj zaimka osobowego "ja" i czasu teraźniejszego. Wyrażaj się w krótkich, jasno określonych zdaniach.

Odczytanie zapisów nie powinno zabrać Ci więcej niż kilka sekund. Najważniejsze, aby zdania ukierunkowane były na to czego pragniesz najbardziej. Można też wszystkie te informacje nagrać na taśmie i przesłuchiwać je kilka razy w ciągu dnia oraz tuż przed snem.

Bezustannie programowani jesteśmy przez wiadomości dochodzące do nas ze środków masowego przekazu, od przyjaciół, znajomych, itd. Dość często spotykamy się z negatywnymi wypowiedziami, wiadomościami. Musimy wybiórczo podchodzić do tego i mieć własne zdanie. Każdy powinien żyć w ramach określonych celów. Wartościowy cel nie osiągamy jednym ruchem. Niejednokrotnie trzeba wykonać wiele małych, drobnych kroczków, aby zbliżyć się do wymarzonego celu. Ci, którzy myślą, że za jednym zamachem osiągną cel są w błędzie i najczęściej ponoszą porażki. Jeżeli chcesz połknąć półkilowy kotlet na raz, to się udławisz. Musisz mięso pokroić na kawałki i zjadać małymi porcjami.

Podobnie jest z planowaniem. Aktywne planowanie, to nakreślenie właściwego celu i wyszczególnienie etapów, jakimi będziemy kroczyli do jego osiągnięcia. Cele ustalamy na najbliższy tydzień, miesiąc czy kilka miesięcy. Łatwiej je realizować. Te, które projektujemy na daleką przyszłość są trudniejsze do osiągnięcia i często się nam rozpływają .

Każdy powienien dać sobie odpowiedzi na kilka zasadniczych pytań.
- Co jest celem mojego życia?
- Jaki jest sens życia?
- Czy moje cele są wartościowe, jak nad nimi pracuję?
- Czy jestem zadowolony z obecnego życia?
- Czy wykonywana praca przynosi mi pełne zadowolenie?
- Czy mam zapisane cele na najbliższe miesiące?

Pamiętajmy, że umysł ciągle poszukuje celów, bo tak już jest zaprojektowany.

Charles A. Garfield jest autorem prac z zakresu psychologii szczytowych osiągnięć zawodników sportowych. Analizował on nadzwyczajne wyniki wypływające z doskonałości ludzi. Poświęcił wiele czasu na przestudiowanie osiągnięć ponad 1500 sportowców olimpijskich i nie tylko. Stwierdził, że zdobywcy najwyższych trofeów to ci, którzy postawili sobie ambitny cel. Ten cel był motywujący i pobudzający. Uparcie i z wysiłkiem podążali do wyznaczonego celu.

Jeżeli chcemy cel zdobyć musimy włączyć się w proces osiągania. Kontrolujmy wszystkie rodzące się pomysły i obrazy związane z realizacją celu. Analizujmy drogę postępujących działań. Zastanawiajmy się co cel nowego wniesie w życie i jakie zmiany dokonają się w wyniku tego. Kto może być pomocny w realizacji dążeń. Jakie nagrody będą uwieńczeniem zdobytego celu.

Sztuka wyobrażania sobie celu jest konieczna, prowadzi szybciej do końcowych efektów.

Moim celem na najbliższe miesiące jest napisanie i wydanie kolejnej książki. W myśli mam zarys tematyki. Przystępując do realizacji muszę podzielić ogólny temat na podtematy. Do każdego z nich dobieram odpowiednie hasła, które w dalszym procesie rozwijam i uzupełniam materiałem. Robię to na oddzielnych kartkach. Segreguję, dodaję nowe wiadomości. Kiedy mam już materiał uszeregowany nagrywam go na taśmę. Przesłuchuję go i robię korekty. W zależności od objętości książki pracę rozdzielam na dni, tygodnie, ale planuję odpowiednią ilość godzin na poszczególne dni. Łatwiej jest skoncentrować się na małych odcinkach pracy. Jest to wydajniejsze i efektywniejsze. Pozwala dostrzegać własne postępy. Bywają dni, że wykonam więcej niż zaplanowałem, lecz zdarza się, że zrobiłem niewiele. Wówczas albo pozwalam sobie na relaks, albo też w innym dniu pracuję dłużej, aby nadgonić zaległości. Przestrzeganie dyscypliny pracy jest tu bardzo ważne. Za wykonanie zadań lubię się nagradzać. Wychodzę na koncert lub ze znajomymi na obiad. Jest to pełny relaks połączony z wewnętrznym zadowoleniem.

Kiedy tekst książki naniosę do komputera mogę oddać ją do druku. Teraz pozwolę sobie odświeżyć kontakty z przyjaciółmi. Przeznaczę więcej czasu na życie kulturalno-rozrywkowe, które musiałem znacznie ograniczyć.

Ludzie zadają sobie pytanie co mają robić, aby życie nabrało sensu i stało się prawdziwą przygodą. Przede wszystkim należy nakreślić sobie cele i przystąpić do ich realizacji. Wyznaczyć termin wykonania poszczególnych zadań. Przewidzieć ewentualne trudności i ludzi, z którymi będziemy współpracować. Każdemu zadaniu trzeba przydzielić sprawności i narzędzia konieczne do wykonania. Należy przewidzieć wyniki i efekty oczekiwań.

Nie pozwalaj umierać marzeniom

Zapisanie celu i określenie sposobu jego osiągania pozwala na uzyskiwanie pozytywnych rezultatów. **Posiadanie celów jest życiową koniecznością.**

Znany amerykański przemysłowiec J. C. Penny powiedział: "Dajcie mi chłopca pracującego w magazynie, który ma cel wyraźnie określony, a ja dam wam człowieka, który robi historię. Dajcie mi człowieka, który nie ma celu, a ja wam dam człowieka pracującego w magazynie".

Wielkie cele zmuszają nas do uruchomienia pełnego potencjału własnych możliwości, do współpracy z innymi i wykorzystywania wszystkich dostępnych środków, zasobów, jakie posiadamy, a z których często nie umieliśmy korzystać. Ważna jest koncentracja na tym co jest przed nami, na tym co robimy w danej chwili.

Prezydent Thomas Woodrow Wilson powiedział, że wzrastamy do poziomu celów, jakie postawiliśmy przed sobą.

Dlaczego tak niewielu ludzi stawia sobie jednoznaczne i wyraźnie określone cele? Co jest powodem, że ludziom tak trudno przebić się i sięgnąć po sukces.

Na temat własnych celów możemy rozmawiać z ludźmi, którzy są

143

w stanie zrozumieć nasze intencje i zamiary. Nie wolno wystawiać się na ktytykę lub odciąganie od celu.

Sukcesowi towarzyszą porażki. Są one nieodzowne. W takich momentach nie powinniśmy załamywać się.

Napoleon Hill w swojej "Encyklopedii sukcesu" umieścił ponad 500 nazwisk ludzi z największymi osiągnięciami w Ameryce. Zauważył, że niemal każdy z nich zanim zdobył upragniony cel znajdował się o krok od porażki. Thomas A. Edison opatentował największą ilość wynalazków. Miał też na swym koncie największą ilość niepowodzeń. Opatentował 1097 wynalazków i zarobił setki milionów dolarów dla siebie i dla wielu ludzi.

Kiedy pracował nad żarówką elektryczną przeprowadził 10 tysięcy eksperymentów i tyleż samo poniósł porażek. Wiele osób wątpiło w powodzenie tego zadania. Dziwiono się, że marnuje on czas i pieniądze na coś co jest nieosiągalne. Edison wierzył, że eksperymenty doprowadzą go do celu.

Po 5 tysięcy prób przyszedł do niego młody dziennikarz i zadał mu pytanie: "Panie Edison, dlaczego marnuje pan czas wiedząc, że światło elektryczne nie ma przyszłości i człowiek musi oświetlać mieszkania światłem lamp naftowych?" Uczony odpowiedział mu: "Młody człowieku, pan nie rozumie w jaki sposób osiąga się cel. Nie odniosłem porażki, lecz z powodzeniem określiłem 5 tysięcy sposobów nie przynoszących oczekiwanych rezultatów. Tym samym o 5 tysięcy razy jestem bliżej do końcowego sukcesu".

Spotkałem kiedyś młodego człowieka, który pracował w magazynie fabryki produkującej wyroby elektryczne. Marzył on o karierze artysty rockowego. Wiele czasu spędzał wyobrażając sobie scenę i dużą widownię przed którą śpiewał. Do tej pory próbował tylko śpiewać przy akompaniamencie muzyki z radia. Nie występował w szkole w żadnym zespole. Nie bywał też zbyt często na koncertach muzyki rockowej. Nie znał nikogo o podobnych zainteresowaniach.

Młodzieniec ten miał marzenia, ale nigdy nie próbował ich rozwijać. Brak poczucia konieczności działania powstrzymywała go od brania lekcji muzyki.

W wieku 24 lat zdał sobie sprawę, że jego marzenia nigdy się nie zrealizują. Obecna praca była symbolem przegranej jego marzeń. Nic dziwnego, że nienawidził swojej pracy.

Człowiek powinien szukać takiego towarzystwa, które ma związek z jego marzeniami.

Marzenia staną się realne wówczas, gdy połączymy je z działaniem. Marzeniom nie wolno pozwalać umierać. Trzeba je odpowiednio karmić, wyprowadzać do słońca i rozwijać.

Większość ludzi nie podejmuje żadnych wysiłków, aby urzeczywistnić swoje marzenia. Znajdują wiele powodów uzasadniających swoją bezczynność.

Często uważa się, że marzenia to tylko strata czasu. To błąd. **Marzenia przyczyniają się do rozwijania naszego potencjału.**

Kiedy byliśmy dziećmi mieliśmy fantastyczne pomysły. Bez obaw ujawnialiśmy je. Dorastając już ich nie mamy. Ograniczamy tę umiejętność i mówimy bardzo często: "Nie mogę tego zrobić. Jest już za późno dla mnie". Nasz horyzont myślowy staje się tak mały, jak doniczka ograniczająca swobodny rozwój rośliny ze względu na swą objętość. Rezultat jest taki, że czujemy się osaczeni i nieszczęśliwi.

Zwycięzcy twierdzą, że wiara i nadzieja jest kolosalną siłą człowieka.

Człowiek musi posiadać marzenia i zmierzać do ich realizacji. Sally Wright marzyła, aby polecieć w przestworza. Anawar Sadat już jako mały chłopiec marzył, aby stać się przywódcą Egiptu i wprowadzić swój kraj w nową erę. Sandra O'Connor, jako studentka prawa, marzyła, aby znaleźć się w Sądzie Najwyższym Stanów Zjednoczonych. Meryl Streep chciała zostać wielką aktorką. Barbara Streisend już w szkole średniej marzyła, aby stać się gwiazdą estrady. Margaret Thatcher, jako mała dziewczynka siedząc w pokoiku nad sklepem, który prowadził ojciec marzyła, aby zasiąść w Parlamencie Brytyjskim, a następnie stanąć na czele rządu. Marzyła o karierze politycznej.

Marzenia wymienionych ludzi spełniły się.

Wielu wielkich filozofów tego świata porównywało ludzi do okrętów. Około 95% ludzi można porównać do okrętu bez sterów, który jest poruszany przez wiatr i fale. Poddają się sile prądu. Marzą, aby któregoś dnia zawinąć do bogatego portu. Zwykle lądują na skałach lub topią się. Ludzie, którzy narzucają sobie dyscyplinę i zmierzają wyznaczonym kursem do celu, zwyciężają. Płyną prosto do swojego celu osiągając jeden port po drugim. Osiągają dużo więcej w przeciągu kilku lat aniżeli reszta ludzi jest w stanie zdobyć przez całe życie.

Odrzucaj zmartwienia

Ted Foreman - inżynier samouk, został w bardzo młodym wieku milionerem. Pieniądze zdobył własnymi siłami i pomysłem. W wieku 26 lat został wybrany do Kongresu Stanów Zjednoczonych. Był doradcą dwóch prezydentów. Wraz z kolegami stworzył specjalny system kształcenia i rozwijania ludzi piastujących stanowiska dyrektorów. Prowadził trzydniowe seminaria, które nazwał "Kursami życiowego sukcesu". Odrzucał on zmartwienia. Twierdził, że martwienie się nie jest pomocne w drodze do wybranego celu.

Podczas zawodów samochodowych w Indianapolis zadawano pytanie uczestnikom rajdu.

Co zrobisz w momencie, gdy znajdziesz się między ścianą a drugim samochodem?

Kiedy skupisz uwagę na ścianie i będziesz jechał z obawą, że możesz w nią uderzyć, to tak się stanie. W momencie, gdy będziesz patrzył na samochód obok ciebie i myślał jak go wyminąć, to istnieje duże prawdopodobieństwo, że dojdzie do stłuczki. W chwili kiedy skoncentrujesz się na wolnej przestrzeni przed sobą najprawdopodobniej uda ci się prześlizgnąć i wyprowadzić samochód bez kolizji.

Ludzie często koncentrują się na trudnościach i nie dostrzegają prostego rozwiązania. Mamy tendencje do martwienia się, a **martwienie się to nic innego jak fałszywie użyta nasza wyobraźnia.** Martwienie się jest myśleniem o tym czego nie chcemy. Jest wyszukiwaniem przeszkód jakie mogą się ujawnić, aby utrudnić nam życie. Martwienie powoduje wzrost ciśnienia krwi, naprężenie mięśni. Odczuwamy wówczas zmęczenie i zaczynamy się programować na przegraną.

Zastanówmy się nad poniższą historią.

Stach na kilka lat przed odejściem na emeryturę dostał ofertę pracy z innej kompanii, w której będzie miał szansę wybić się. Jego sąsiad zaczyna recytować listę pogłosek co złego słyszał o tej firmie. Żona Stacha jest tym bardzo zaniepokojona i odwodzi go od tego zamiaru. Koledzy w pracy nazwali go zdrajcą. Stach analizuje sytuację i nie widzi przyczyny dla której miałby zmienić pracę. Szybko zapomina, że chciał polepszyć swój byt i wykazać się swoimi umiejętnościami. W wielu przypadkach przyjaciele i ich rady mają negatywny wpływ na nasze decyzje.

Bez względu na to, ilu ludzi będzie Cię odwodziło od Twoich zamiarów, musisz polegać na własnej intuicji i przekonaniu o słuszności swych postanowień. Zatrzymaj plany dla siebie, nie dziel się nimi z ludźmi, którzy nie będą Ci pomocni w osiąganiu celów. Najważniejsze jest Twoje osobiste zaangażowanie.

Pozytywna energia posuwa nas do przodu. Przez działanie znajdujemy nowe odpowiedzi na trudności, które stają na drodze do realizacji naszych planów. Tak postępowali wszyscy wielcy, znani ludzie w historii Ameryki. **Do osiągania sukcesów potrzebne jest zaangażowanie, entuzjazm i wiara.** Jeżeli powiesz sobie: "To może być zrobione", wówczas powiedzenie to stanie się myślą przewodnią dla Ciebie w każdej sytuacji w jakiej się znajdziesz.

Kiedy przystąpimy do działania, rzeczy niemożliwe stają się wykonalne.

Działaj zgodnie z nakreślonymi planami

Kiedy wprowadzimy cele do naszej podświadomości, nasz umysł zaczyna pracować natychmiast nad ich realizacją. Zaczyna nam podsuwać myśli, pomysły i motywacje.

Każdy człowiek ma w sobie mechanizm przegranej i mechanizm sukcesu. Mechanizm przegranej działa automatycznie, ludzie bez wysiłku przegrywają i idą donikąd.

Kiedyś zapytano multimilionera Hunta, który wzrósł ze zbankrutowanego farmera bawełny w wieku 32 lat do jednego z najbogatszych ludzi w Stanach Zjednoczonych, jakich wskazówek mógłby udzielić innym ludziom, którzy pragną osiągnąć sukces. Multimilioner odpowiedział: "Stworzyłem setki korporacji, zarobiłem miliardy dolarów, ale do tego potrzebne są dwie rzeczy. Trzeba wyraźnie określić co chcemy osiągnąć i jaką cenę jesteśmy gotowi zapłacić za swój sukces. Droga do sukcesu wymaga bardzo wielu wyrzeczeń".

Zwycięzcy wiedzą jak niebezpieczne jest marnowanie czasu. Robienie rzeczy, które nie przyczyniają się do naszego rozwoju, absolutnie nie zbliżają do urzeczywistnienia naszych pragnień. Kiedy brak nam planu zaczynamy działać reaktywnie przez stosowanie uników.

Przez koncentrowanie się na realizacji naszych celów uwalniamy się od napięć i stresów.

Ciekawa jest historia Charlesa Schwaba, prezydenta "Bethlehem Steel". Zwrócił się on do konsultanta, aby ten wskazał mu drogę do osiągania lepszej wydajności w pracy. Za dobre wskazówki chciał zapłacić każdą cenę. Jeden z konsultantów polecił mu: "Zapisz na czystej kartce papieru sześć najważniejszych rzeczy, które masz wykonać następnego dnia. Zadania te uszereguj według ważności. Pracę dnia następnego rozpocznij od pierwszej czynności, jaka znalazła się na liście. Nad zadaniem tym pracuj tak długo, aż zostanie skończone. Następnie przejdź do kolejnej czynności. Nie martw się jeśli zaplanowane rzeczy nie zostały w całości wykonane. Stosuj ten system każdego dnia, aż przekonasz się o jego wartości. Pozwól, aby wszyscy twoi ludzie stosowali tę samą metodę. Jeśli uznasz, że ten sposób pracy przyniósł ci oczekiwane efekty, przyślij mi czek na sumę jaką uznasz za stosowną".

Kilkanaście tygodni później Charles Schwab przesłał konsultantowi czek na 25 tysięcy dolarów z notatką, że jego rada była najkorzystniejsza ze wszystkich, jakie do tej pory otrzymywał.

Ta metoda pozwoliła mu dojść do majątku 100 milionów dolarów i uczynić "Bethlehem Steel" jedną z najpotężniejszych firm stalowych w USA.

Czy możemy pomyśleć, że Charles Schwab był naiwny dając 25 tysięcy dolarów za taką prostą ideę?

Uważał on, że zapłata za tę radę była najlepszą inwestycją w jego życiu.

Zaczynaj każdy dzień przygotowaniem listy Twoich dziennych zadań. Zapisz wszystkie rzeczy jakich pragniesz dokonać w tym dniu i uszereguj je w zależności od ich ważności. Wysiłek, energia i czas jakie poświęcisz opłaci Ci się i przyniesie wiele korzyści.

Co się dzieje, kiedy idziesz do supermarketu bez listy zakupów. Z własnego doświadczenia wiem, że kiedy widzę te wszystkie wspaniałe rzeczy reklamowane w telewizji i wystawione na półkach, przynoszę do domu wiele niepotrzebnych artykułów, których nie miałem zamiaru kupić. Zapominam o rzeczach, które naprawdę były niezbędne. Stąd prosty wniosek, że zakupy z listą w ręku są znacznie sprawniejsze. Kiedy przeglądasz listę swoich celów nie obawiaj się nanoszenia poprawek i zmian jeżeli uważasz, że jest to potrzebne. Posiadanie planu działania jest bardzo ważne, ale to wcale nie znaczy, że musimy się go kurczowo trzymać. Jesteś na trasie w czasie wakacji. Zrobiłeś wcześniej rezerwację moteli. Przejeżdżając przez jedną z miejscowości dowiedziałeś się, że następnego dnia ma się tu odbyć rodeo. Masz wielką ochotę obejrzeć to widowisko. Czy w tym przypadku możesz zmienić swój plan? Myślę, że tak. Korygowanie tego co zaplanowałeś jest uzasadnione. Kiedy zaczniesz określać cele i działać według tego co sobie nakreśliłeś będziesz miał lepszą kontrolę nad własnym życiem, a każdy dzień będzie Ci przynosił zwycięstwo. Przeszkody zaczną stawać się pagórkami przez które będziesz przechodził z łatwością.

Dlaczego tylko 5 osób na 100 odnosi sukcesy? Wiele lat temu zapytany przez reportera laureat Nagrody Nobla - dr Schweitzer, co sądzi o ludziach w obecnej dobie, dał odpowiedź: "Ludzie po prostu nie myślą".

Żyjemy w złotych czasach. Jest to era, o której człowiek marzył i czekał na nią przez tysiące lat. Polacy mieszkający w USA są w szczególnie szczęśliwej sytuacji. Żyjemy bowiem w jednym z najbogatszych krajów świata, w państwie z ogromnymi możliwościami dla każdego.

Wszyscy ludzie, którzy rozpoczynają samodzielne życie w wieku 25 lat wchodzą w nie z nadzieją, że będą odnosili sukcesy. Życie dla każdego z nich wydaje się przygodą. W wieku 65 lat jedni z nich będą bogaci i finansowo niezależni, inni nadal będą pracowali, a duża grupa będzie bankrutami. Co stało się z nadzieją i marzeniami u tych, którzy ponieśli fiasko? Myślę, że nie wprowadzili oni swoich marzeń w czyn.

Sukces jest progresywną realizacją godnych zamierzeń człowieka, który pracuje dla wyraźnie określonego celu.

W obecnej chwli w Ameryce żyje 18 milionów ludzi w wieku 65 lat, którzy znaleźli się bez środków do życia. Są uzależnieni od innych.

Nie nauczyliśmy się jak stawać się finansowo niezależnymi, mimo że żyjemy w jednym z najbogatszych krajów świata. Większość ludzi nie wie jak kierować swoim życiem. Wierzą, że są uzależnieni od warunków w jakich się znaleźli. Wierzą w siły zewnętrzne. Kiedy zapytano ludzi w jakim celu pracują, odpowiadali, że każdy wstaje rano i idzie do pracy. To jest jedyna przyczyna dlaczego i oni to robią. Sekretem sukcesu są jasno określone cele, które pobudzają naszą motywację i energię do działania. Istotne jest, abyśmy odczuwali, że cele już osiągnęliśmy. Nasz umysł nie rozróżnia tego co jest rzeczywiste i zmaterializowane, od tego co jest tylko ideą.

Żaden wiatr nie pomoże okrętowi, który nie rozwinął żagli. Człowiek bez swego celu jest jak okręt bez steru. Planuj swoją pracę na bazie codziennych wysiłków posuwających Cię do przodu. Zdecyduj się wprowadzać cele do swojej podświadomości i oglądaj je jako już osiągnięte. Koncentruj się na najważniejszych sprawach. Cel główny stanie się nasieniem, które pozwoli rozwijać się i pomnażać wiele Twoich działań i doprowadzi Cię do sukcesu.

42. LUDZIE SUKCESU Z NASZEGO OTOCZENIA

W książce tej pragnę przedstawić Czytelnikowi kilka postaci, o których można powiedzieć, że są ludźmi sukcesu. Chcę pokazać motywacje, które uruchomiły działanie oraz drogę, która umożliwiła osiągnięcie sukcesu.

Postawa tych ludzi, cel, wiara i ryzyko nieodłącznie towarzyszyły im od momentu przyjazdu do USA.

Przekonasz się, że sukces nie przyszedł do nich sam bez wysiłku i pracy. Droga do niego była mozolna.

Pomysły, wyobrażenia, upór, ciężka praca, często wsparcie duchowe najbliższych im osób były pomocne w pokonywaniu licznych trudności.

Jestem przekonany, że Czytelnik znajdzie w tych przykładach coś dobrego i pozytywnego dla siebie. A może staną się one inspiracją do działania, do podjęcia wysiłku, do wyzwolenia Twojego twórczego potencjału i zdolności?

W książce prezentowani są:
Jerzy Sztykiel, Mieczysław Celarek, Piotr F. Dembowski, Czesław Sawko, Przemysław B. Inglot, Anatol Topolewski i Zbigniew Karwowski.

Przedstawieni są oni w takiej kolejności w jakiej przeprowadzone zostały wywiady.

JERZY SZTYKIEL

Urodził się w 1929 roku w Warszawie. Po wojnie znalazł się w Niemczech skąd przez Włochy przedostał się do Wielkiej Brytanii. W Anglii studiował na wydziale mechanicznym. W 1953 roku uzyskał dyplom inżyniera.

W listopadzie 1954 roku wyemigrował do Stanów Zjednoczonych. Osiedlił się w Detroit.

Przez 19 lat pracował w firmie Chrysler w Detroit. Ostatnie 2 lata na stanowisku asystenta naczelnego inżyniera wydziału samochodów ciężarowych.

W kwietniu 1973 roku firma Chrysler zlikwidowała produkcję ciężkiego sprzętu i Jerzy Sztykiel został zwolniony. Sytuacja zmusiła go do szukania nowego miejsca zatrudnienia.

W krótkim czasie otrzymał pracę w firmie "Diamond Reo", która powstała na bazie starej zbankrutowanej firmy "White Motors" w Charlotte w stanie Michigan. Firma zwolniła stare kierownictwo i zaangażowała nowy zespół kierowniczy. W skład wchodzili inżynierowie ze stażem w wielkich firmach samochodowych.

Nowe kierownictwo wprowadziło wiele ulepszeń, ale nie liczyło się z kosztami. Po dwóch latach, w kwietniu 1975 "Diamond Reo" poniosła fiasko.

Pan Jerzy po 23 latach pracy na odpowiedzialnych stanowiskach znowu zostaje bezrobotnym. Miał 46 lat życia, żonę i czwórkę dzieci. Jego konto oszczędnościowe wynosiło 6 tysięcy dolarów. Mieszkał wówczas w East Lansing w bogatej dzielnicy White Hills w domu, który spłacał - 353 dolary miesięcznie.

Zameldował się w "Urzędzie dla bezrobotnych", gdzie dowiedział się, że otrzyma za dwa tygodnie zasiłek w kwocie 160 dolarów tygodniowo.

W tym czasie, jak wspomina pan Jerzy, żona jego leżała w szpitalu, na szczęście posiadała ubezpieczenie.

W tej trudnej sytuacji, nie widząc możliwości zabezpieczenia finansowego, zaproponował żonie wystawienie domu na sprzedaż. Nie otrzymał akceptacji tego pomysłu.

Żona, pani Krystyna Sztykiel poprosiła go, aby pieniądze z zasiłkowego czeku oddawał jej w całości. Opracowała własną strategię prowadzenia domu.

I tak za 160 dolarów tygodniowo, dzięki pomysłowości pani Krystyny, wszyscy byli syci i o dziwo czuli się zdrowo.

W tym niezwykle trudnym czasie dzieci: Barbara, Donna, Jan i Witold uczęszczały do szkół. Dzielnie pomagały rodzicom we wszystkich pracach.

Janek był studentem M. S. U. Pracował jako kelner. Pieniądze z tej pracy przeznaczał na studia i swoje utrzymanie. Najstarszy - Witold pracował i kończył studia prawnicze (Notre Dame University).

Aby zmniejszyć wydatki pan Jerzy sprzedał samochód. Wspomina ten fakt z uśmiechem: "Uważałem, że bezrobotny może z powodzeniem przemieszczać się na rowerze".

Nie tracił czasu. Jeździł i szukał nowego zatrudnienia. Mówi, że ten "potężny kopniak życiowy" spowodował mocne poruszenie jego umysłu. Zmobilizował go do działania.

Spotkał on w Charlotte dawnego kolegę, sprzedawcę z "Diamond Reo", również bezrobotnego. Postanowili uruchomić własny biznes. Nie wiedzieli tylko co mają produkować i jak zdobyć pieniądze na uruchomienie zakładu.

Pomocną okazała się informacja, że jedna z firm poszukuje

specjalistów, którzy mogliby zaprojektować i wykonać karoserię pojazdu dla straży pożarnej.

Nie zastanawiali się długo. Udali się do tej firmy. Propozycja była aktualna. Otrzymali zadanie wykonania karoserii samochodu strażackiego o najwyższych wymaganiach technicznych.

Pan Jerzy zwrócił się do banku o pożyczkę 10 tysięcy dolarów z przeznaczeniem na produkcję karoserii do samochodów strażackich. Prośba wydała się absurdalna dla pracownika banku ze względu na bankructwo "White Motors" i "Diamond Reo". Pożyczki nie otrzymał. Znaleźli do swojego przedsięwzięcia trzech wspólników. Cztery osoby dały wkład po 4 tysiące dolarów. Piąty wspólnik dał 8 tysięcy dolarów i swój budynek w Charlotte o powierzchni 400 metrów kwadratowych, w którym miała się odbywać produkcja. Osoba ta uzyskała największy udział w firmie, bo aż 51%.

Po trzech miesiącach, a było to we wrześniu 1975 roku, firma ich została zarejestrowana w stanie Michigan, pod nazwą "Spartan Motors".

Pracowali z wielkim entuzjazmem i wiarą, że praca ich znajdzie uznanie. Pierwszy samochód strażacki został bardzo wysoko oceniony. Za wykonaną pracę otrzymali czek na sumę 24 tysięcy dolarów. Dostali również zamówienie na 12 kolejnych karoserii. Produkcja ruszyła.

W styczniu 1976 w "Spartan Motors" zatrudnionych zostało 16 nowych osób, a pod koniec roku uzyskano ze sprzedaży 725 tysięcy dolarów.

W 1977 roku zarobki pracowników wzrosły.

Po dwóch latach właściciel budynku, główny udziałowiec wycofał się ze spółki. Odsprzedał swój udział za 68 tysięcy dolarów.

Zmusiło to pozostałych wspólników do zaciągnięcia pożyczek hipotecznych na swoje domy, aby akcje odkupić.

Sytuacja dla wspólników była teraz poważna. Zainwestowali spore sumy, bo ponad 20 tysięcy dolarów, w tym "dachy nad głową", jak mówi pan Jerzy i nie mogli nawet dopuścić myśli, że może ich spotkać niepowodzenie. Ze zwiększoną energią i zapałem zabrali się do pracy.

Nastąpił moment, że dochody firmy zaczęły maleć.

Nie chcieli nikogo pozbawiać pracy. Wysunięto propozycję obcięcia zarobków o 15% wszystkim pracownikom. Każdy miał wolne prawo wyboru: zaakceptować propozycję lub zrezygnować z pracy. Obniżce poborów podlegali również wspólnicy firmy. Oni tracili więcej, gdyż mieli większe zarobki. Nikt nie pożegnał się z firmą. Po trzech miesiącach sytuacja uległa radykalnej zmianie na lepsze. Stawki powróciły do pierwotnej wysokości.

Pan Jerzy uważa, że dla niego zwolnienie pracownika jest nie do przyjęcia, a szczególnie najmłodszych ludzi. Ci najmłodsi za dziesięć lat mogą stać się najcenniejsi. Pozbywając się ludzi, pozbywasz się talentów, które decydują o powodzeniu zakładu.

"Spartan Motors" w Charlotte buduje w dalszym ciągu karoserie i podwozia do wozów strażackich, pojazdów rekreacyjnych, autobusów, cystern obsługujących lotniska i innych specjalnych pojazdów. Ostatnio produkują również domy na kołach.

Magazyn "Forbes" już od dwóch lat zalicza "Spartan Motors" w poczet 200 "Najlepszych małych firm w Ameryce". Firma pana Sztykla zajmuje na tej liście 29 miejsce.

Firma rozrasta się i do istniejącego obecnie zakładu zostanie niebawem dobudowana część o powierzchni 90 tysięcy stóp kwadratowych.

W ostatnich pięciu latach obroty firmy wzrosły ponad 500%, co dało 160 milionów dolarów.

Firma jest spółką akcyjną z 13 milionami udziałów. Ostatnie notowania ceny akcji wyniosły 20 dolarów. Łatwo obliczyć wartość firmy - 20 dolarów razy 13 milionów udziałów daje kwotę 260 milionów dolarów.

Firma w okresie następnych 5 lat planuje zwiększyć obroty do 500 milionów dolarów w sprzedaży oraz uruchomić pięć nowych zakładów w kraju i poza granicami USA.

W styczniu 1993 roku "Spartan Motors" otworzyła swoją filię w Meksyku, w której produkowane są podwozia dla największego producenta autobusów w tym kraju.

Pracownicy firmy otrzymują opcje ważne przez 10 lat, czyli prawo do nabywania akcji po cenie obowiązującej w danym dniu. Po pierwszym roku pracy każda osoba może nabyć 100 akcji, a po 5 latach - 200 akcji. Ponieważ ceny akcji idą w górę wraz z rozwojem firmy, pracownicy, jako udziałowcy odnoszą duże korzyści. Pracują bardzo rzetelnie, bo dla siebie.

Obecnie "Spartan Motors" zatrudnia 450 osób. Ludzie są bardzo oddani swojej firmie, jak stwierdza pan Jerzy. Zakład pracuje na jedną zmianę.

Pan Jerzy Sztykiel funkcję prezydenta i szefa produkcji przekazał synowi Janowi Sztyklowi. Dla siebie pozostawił funkcję prezesa rady nadzorczej, a także planowanie i rozwijanie możliwości usług dla pożarnictwa, zdobywanie nowych rynków zagranicznych oraz rozwój filozofii korporacji.

Co kwartał pracownicy zapoznają się z wynikami osiągnięć, planami oraz założeniami na następne trzy miesiące. Pozwala to na aktywny udział w rozwoju firmy i jej osiągnięciach.

W "Spartan Motors" panują spartańskie zasady. Nie ma tu pięknych biur dla kierownictwa. Prezydent nie ma sekretarki.

Biuro pana Jerzego, to mały pokoik na uboczu zakładu. Pracuje w nim tylko wtedy, gdy musi. Często można go zobaczyć leżącego w kombinezonie pod samochodem. Sprawdza jakość tego co ma być wysłane do klienta.

Pan Jerzy traktuje pracowników jak jedną wielką rodzinę. Stosuje tu podobne metody jak w wychowaniu dzieci. Jedną ręką głaszcze i okazuje uznanie, a drugą w razie potrzeby "daje klapsa".

Do pana Jerzego przychodzą różni konsultanci oferując mu usługi. Mówi on, że najlepszym jego konsultantem, którego nie można znaleźć za żadne pieniądze, jest Chrystus. Żyje on i postępuje według zasad głoszonych przez Jezusa: "Traktuj drugiego człowieka tak, jak chciałbyś sam być traktowany".

Sekretem powodzenia "Spartan Motors" jest nieustające dążenie do innowacji, ulepszania firmy, konkurencyjność cenowa i wyczuwanie potrzeb klientów.

Amerykańscy eksperci w zakresie sukcesu stawiają pana Jerzego Sztykla za wzór do naśladowania. Firma jego przez ostatnie 5 lat przynosi akcjonariuszom 35% wzrostu wartości ich udziałów.

Myślę, że przede wszystkim powinien on być wzorem godnym naśladowania dla nas Polaków, którzy marzą o osiągnięciu sukcesu we własnym biznesie nie mając zaplecza finansowego.

MIECZYSŁAW CELAREK

Urodził się w 1935 roku w Zagórzu koło Chrzanowa. Po ukończeniu Liceum Ogólnokształcącego podjął studia w Wyższej Szkole Rolniczej na wydziale melioracyjnym w Krakowie. Kiedy ukończył 23 rok życia otworzyła się dla niego możliwość wyjazdu do USA dzięki matce, która urodziła się w Stanach Zjednocznonych i posiadała obywatelstwo tego kraju.

Matka pana Mieczysława w 1926 roku jako dwunastoletnia dziewczynka przyjechała do Polski. Mieszkała w Zagórzu. W 1959 roku powróciła do Chicago.

Pan Celarek przerwał studia i 6 miesięcy po wyjeździe matki, we wrześniu 1959 roku, wyjechał również do USA. W kieszeni miał tylko 10 dolarów.

Kilka miesięcy później przyleciał ojciec, a następnie żona pana Mieczysława - Bogusława, z zawodu nauczycielka, wraz z małym synkiem - Bogdanem.

Pan Celarek rozpoczął pracę w fabryce, której właścicielem od 1923 roku był Polak, wywodzący się korzeniami z tej samej miejscowości w Polsce.

Fabryka produkowała sprężyny. Pan Celarek z ogromnym

zainteresowaniem i zaangażowaniem podchodził do swojej pracy. Uczył się kolejno wszystkich operacji na maszynach, konserwacji sprzętu i technologii produkcji. Marzył, aby kiedyś uruchomić własny zakład. W biurze fabryki pracował inżynier C., z którym zaprzyjaźnił się pan Mieczysław. Obaj nie mieli samochodów, więc co dzień przemierzali pieszo wspólnie drogę do pracy i z pracy przez Humboldt Park. Rozmawiali na tematy produkcji i biznesu.

Z upływem czasu pan Mieczysław dość dobrze zapoznał się z produkcją sprężyn. Inżynier C. przyswoił sobie cenne wiadomości z zakresu prowadzenia biznesu, dostawców i klientów.

Po czterech latach znajomości inżynier zaproponował panu Celarkowi i trzem innym osobom przystąpienie do spółki celem uruchomienia własnej fabryki sprężyn. Zarejestrowali firmę jako korporację w Stanie Illinois.

Kiedy o fakcie tym dowiedział się właściciel natychmiast zwolnił ich obydwu z pracy.

W 1963 roku uruchomili własną firmę przy ulicy Thomas. Pan Mieczysław miał swój wkład w wysokości 5 tysięcy dolarów, co stanowiło 15% udziału.

Początki były niezwykle trudne. Wspólnicy za pracę nie otrzymywali zapłaty. Na utrzymanie i życie musiały zarabiać ich żony.

W tym czasie każdy wspólnie zapracowany dolar miał wielkie znaczenie dla rozwoju firmy. Wszyscy pracowali bardzo wydajnie i z pełnym poświęceniem.

W zakładzie pracowała żona pana Celarka. Prowadziła księgowość i sprawy finansowe fabryki. Pomocą i wiedzą w tym zakresie służył pan C.

W wolnych chwilach pan Mieczysław zapoznawał się z dokumentacją firmy. Czytał, skrzętnie notował wszystkie ważne informacje dotyczące biznesu.

Niezmiernie pomocną rolę spełniali rodzice pana Celarka. Wspierali go duchowo i finansowo.

Po trzech latach rozwoju fabryki zaczęło się coś psuć. Pojawił się znaczny spadek dochodów.

Inżynier C. zaczął zabierać dokumentację firmy do domu. Firma podupadła i pod koniec 1967 roku została rozwiązana.

Pan Celarek odkupił z firmy połowę maszyn, drugą część odkupił inżynier C.

Mając już spore doświadczenie w prowadzeniu biznesu postanowił otworzyć własną fabrykę produkującą sprężyny.

W 1968 roku otworzył swój biznes przy ulicy Chicago Ave. Była to fabryka "United Spring".

Trudności było dużo. Podporą była żona i rodzice oraz wiara, że wszystko musi się udać. Dzisiaj z ogromnym wzruszeniem mówi o tamtych dniach: "Sam człowiek nie dałby sobie rady". Wkrótce odkupił resztę maszyn od inżyniera C., za kwotę 10 tysięcy dolarów.

Budynek przy Chicago Ave. okazał się niewygodny i ciasny. Produkcja odbywała się na drugim piętrze bez windy. Dużym utrudnieniem było dźwiganie ciężarów. Pomimo tego firma rozwijała się i przybywało ciągle nowych zamówień.

W 1972 roku pan Mieczysław dokonał zakupu dużego budynku o powierzchni 4 tysiące metrów kwadratowych, przy ulicy 830 N. Pulaski.

Ruszyła produkcja. Zwiększał się asortyment wyrobów. Przybywało klientów.

Dużą pomoc miał pan Mieczysław ze strony matki, która prowadziła całą dokumentację finansową fabryki.

Żona mimo rozlicznych obowiązków związanych z wychowywaniem trójki dzieci - Bogdana, Jana i Renaty, w miarę sił wspomagała męża.

Zakład rozrastał się. Przybywały nowe hale produkcyjne i maszyny. Obecnie firma zatrudnia 25 osób. Pracują Polacy i Meksykanie. Ludzie pracują tu po wiele lat. Jeden z pracowników jest zatrudniony od początku powstania firmy. Nie ma nadgodzin, ale ludzie jak mówi właściciel firmy, muszą tyle zarobić, aby byli zadowoleni. Co roku otrzymują automatycznie podwyżki.

Pan Mieczysław bardzo ceni uczciwość i pracowitość swojej załogi.

Klientami są dostawcy części do przemysłu rolniczego oraz indywidualni rolnicy.

Firma produkuje ciężkie sprężyny do zwijania i belowania siana, do bronownia oraz zbioru orzeszków ziemnych.

Sprężyny wykonuje się na podstawie własnych projektów oraz rysunków technicznych dostarczanych przez klientów. Zakład produkuje od 250 do 300 modeli różnych sprężyn. Wykonują sprężyny typowe i na zamówienie w różnej ilości od 100 do 100 tysięcy sztuk.

Zakład ma swoje katalogi i prospekty. Jest wielu stałych klientów, którzy kupują wyroby od początku powstania firmy. Ceny muszą być konkurencyjne a produkt wykonany solidnie i na czas. W ciągu 25 lat pracy we własnym biznesie tylko trzy razy spotkał się pan Celarek z niewypłacalnością klienta.

Pan Celarek przychodzi do pracy przed godziną siódmą rano. Jest w ubraniu roboczym, tak jak za dawnych czasów. Pomaga w razie potrzeby w naprawach maszyn. Cały biznes dotyczący produkcji jest pod jego ścisłą kontrolą. Wymaga dużo od siebie, ale również i od pracowników. Rzetelność, solidność, dokładność to cechy, które bardzo ceni.

Przeważająca większość interesów w USA, jak powiedział pan Mieczysław, jest uczciwych, dlatego też i jego firma musi być taka w stosunku do odbiorcy.

Firma ma obecnie obroty w granicach 2,5 do 2,7 milionów dolarów rocznie.

Pan Mieczysław nigdy nie korzystał z pożyczek, bo kiedy były one mu potrzebne nie mógł ich dostać. Musiał sam sobie radzić operując tym co posiadał. Wkład całej rodziny, oszczędności i wyrzeczenia okazały się nieodzownym elementem powodzenia. Niezmiernie pomocne były także bezprocentowe kredyty w postaci materiałów jakie otrzymywał od amerykańskich dostawców, którzy zawierzyli jego uczciwości. Mentorem, doradcą fachowym oraz wiernym przyjacielem okazał się także św. pamięci pan Edward Matz, właściciel warsztatu narzędzi precyzyjnych. Pan Celarak ma zaciągnięty dług wdzięczności wobec wielu wspaniałych ludzi, którzy wyciągnęli do niego pomocną dłoń.

Nie bał się nigdy ryzyka. Bez ryzyka i odwagi trudno jest cokolwiek osiągnąć. Spotykał ludzi bardzo zdolnych, ale lęk przed niepowodzeniem wstrzymywał ich od założenia własnych biznesów. Same zdolności to za mało. Potrzebna jest też odwaga, wytrwałość i wiara w siebie.

Pan Celarek koncentruje się zawsze tylko na jednej rzeczy. Cieszy się życiem. Nie wierzy w przeznaczenie. Mówi, że wiele zależy od człowieka, od jego nastawienia. W biznesie na początku nie wolno liczyć na duże pieniądze. One stopniowo same przyjdą. Trzeba przezwyciężać trudności zanim osiągnie się fortunę. Ważne jest, aby nie marnować czasu i nie załamywać się w przypadku niepowodzeń. Szczęście należy do tych, którzy są na nie przygotowani.

Pan Celarek zdradził mi, że dużą pomocą w osiągnięciu tego co ma była wiara w swoje siły, dobre zdrowie i ciężka, solidna praca, a także częste rozmowy z najlepszym przyjacielem - żoną.

Marzy on o tym, aby przygotować należycie następców na przejęcie biznesu.

Państwo Celarkowie, jak już wspominałem, mają dwóch synów i córkę. Najstarszy syn przeniósł się na Alaskę i tam pracuje przy wydobywaniu ropy. Drugi syn ukończył studia ekonomiczne, a ostatnio zdał trudny egzamin z zakresu zarządzania dużymi przedsiębiorstwami i pełni funkcję księgowego przysięgłego.

Córka od siedmiu lat współpracuje z ojcem. Jest zainteresowana tym co zakład produkuje. Prowadzi mu dokumentację finansową systemem komputerowym.

Ogromną pomoc ma ze strony zięcia, który bardzo szybko poznał całokształt biznesu. Wyjeżdża on na farmy do rolników. Rozmawia o potrzebach rolnictwa, zasięga opinii o jakości wyprodukowanych sprężyn.

Pan Celarek często wyjeżdża na wystawy sprzętu i narzędzi rolniczych. Chce w ten sposób poznać zapotrzebowanie rolnictwa, a przy okazji nawiązuje nowe biznesowe znajomości.

Na zakończenie spytałem pana Mieczysława, co ceni najbardziej w biznesie. Odpowiedział mi, że przede wszystkim uczciwość, rzetelność, dokładność, punktualność, prawdomówność, szacunek do pracy i do człowieka, który ją wykonuje.

Za swoje duże osiągnięcie uważa swój wkład w budowę Kościoła oraz Domu Straży Pożarnej w rodzinnym Zagórzu w Polsce.

PIOTR FLORIAN DEMBOWSKI

Urodził się 23 grudnia 1925 roku w Warszawie w rodzinie inteligenckiej, niezbyt zamożnej.

Z domu wyniósł chęć i miłość do nauki. Od urodzenia miał kontakt z żywym językiem francuskim.

Przed wojną zmarł mu ojciec. Dziadek został zastrzelony w pierwszych dniach wojny, jako bezużyteczny starszy człowiek. Matka zaś i siostra zostały rozstrzelane w Ravensbruck we wrześniu 1942 roku. Młody Dembowski znalazł się w sierocińcu.

W 1944 roku otrzymał świadectwo maturalne.

Podczas wojny był żołnierzem Armii Krajowej. Znalazł się w pułku "Baszta" na Mokotowie, brał udział w Powstaniu Warszawskim. Po upadku powstania dostał się do niewoli. Został wywieziony do Niemiec i osadzony w obozie jenieckim.

Po uwolnieniu przez armię angielską przedostał się do Włoch i wstąpił do II Korpusu.

We wrześniu 1946 roku Rząd Kanady i Departament Rolnictwa wyraził zgodę na przyjazd polskich żołnierzy do pracy na okres dwóch lat. Warunkiem przyjazdu był stan wolny ochotnika.

Pan Dembowski podjął decyzję wyjazdu. 11 listopada 1946 roku wyjechał do Halifax, a po kilku dniach do Alberty. Tu zatrzymał się na jeden rok. Podjął pracę u farmera, który był zacnym i dobrym człowiekiem.

Pracował w polu. Zdrowie i siły dopisywały mu. Jedyną trudność stanowiły dla niego maszyny. Nie posiadał zdolności technicznych i to powodowało, że miał kłopoty z ich obsługą. Początkowo jego zarobki wynosiły 45 dolarów, a następnie 75 dolarów oraz dodatkowo wyżywienie. Gospodarstwo było duże. Na farmie hodowano 40 krów. Ambicje i marzenia młodego Dembowskiego kierowały się w stronę uczelni. Chciał studiować. Udał się na uniwersytet z prośbą o przyjęcie na studia. Był w ubraniu farmera. Rozmawiał z pracownikiem administracyjnym odpowiedzialnym za przyjęcia. Człowiek ten wyśmiał go i stwierdził, że jego miejsce jest na farmie i że absolutnie nie nadaje się na studia. Dyplom maturalny wydał się mało poważny dla tego człowieka, jak wspomina dzisiaj pan Dembowski.

Postanowił wyjechać z farmy do miasta, aby dobrze opanować język angielski.

Nie zatrzymały go usilne prośby farmera. Zrezygnował z pracy u niego i w 1947 roku wyjechał do Edmonton.

Rozpoczął pracę w tartaku jako zwykły robotnik. Nauczył się jeździć samochodem ciężarowym. Zdobył tymczasowe prawo jazdy, co nie było łatwe. W Alberta obowiązywały rygorystyczne przepisy dotyczące wydawania prawa jazdy. Woził samochodem drewno i cement.

Po rocznym pobycie w Edmonton rozpoczął w szkole naukę języka angielskiego. Uczył się oczywiście wieczorem. W dzień nadal pracował.

Przypadkowo spotkał dobrych ludzi, którzy wyciągnęli do niego pomocną dłoń. Szczególną pomoc i wsparcie duchowe otrzymał od Francuza Kanadyjskiego, którego spotkał w polskiej parafii. Bywał u niego w domu. Żona owego Francuza była z zawodu nauczycielką. Namówili go, aby nie rezygnował ze swoich planów i napisał podanie na uniwersytety w British Columbia i Saskatchewan. Posłuchał. Obydwie uczelnie dały mu pozytywną odpowiedź.

W 1948 roku wyjechał na uniwersytet w British Colubmia. Miał 450 dolarów oszczędności, co stanowiło pokaźną sumę. I tu spotkało go wiele serdeczności. Legion Kanadyjski przyjął go na członka jako weterana wojny. Z tego tytułu miał ulgi, między innymi tańsze mieszkanie.

Przed młodym Dembowskim pojawił się poważny problem. Nie wiedział jaki konkretny kierunek studiów powinien wybrać. Po zastanowieniu się doszedł do przekonania, że trzeba brać to, do czego się ma talent. Wybór padł na język francuski. Nie był to łatwy kierunek, ale pan Dembowski wiedział, że trudności nie należy unikać. Na studiach doznawał przykrości ze strony uniwersyteckich lewaków. Wszystkich ze wschodu nazywali współpracownikami hitlerowskimi. To zdopingowało go do opanowania języka rosyjskiego. Studiował oraz pracował w kuchni, aby mieć własne pieniądze. Od drugiego roku zaczął otrzymywać stypendium. Na czwartym roku był bardzo dobrym studentem. Studiował lingwistykę francuską i rosyjską. Uniwersytet ukończył w 1952 roku.

W tym samym roku wyjechał do Francji na dalsze studia. Otrzymał stypendium od rządu francuskiego. W pierwszym roku dostał pełne stypendium, w drugim - tylko połowę zaś trzeci rok musiał sobie opłacić sam.

We Francji poznał Yolandę Mariette Jessop, z którą zawarł związek małżeński 29 czerwca 1954 roku.

Pani Yolanda pochodziła z Kanady. Ojciec był Anglikiem, matka - Francuzką Kanadyjską.

Żona była i jest bardzo wyrozumiała. Wysoko oceniała sprawy nauczania i uczenia się.

Ze związku tego państwo Dembowscy mają trójkę dzieci - Annę, Ewę i Pawła.

W 1954 roku pan Dembowski otrzymał doktorat na uniwersytecie w Paryżu.

Po uzyskaniu doktoratu podjął decyzję wyjazdu do Anglii. Zatrzymali się w Londynie.

Profesor Dembowski postanowił pracować naukowo. W kilka tygodni po przyjeździe otrzymał telegram z uniwersytetu w British Columbia zapraszający go do pracy w charakterze nauczyciela języka francuskiego i rosyjskiego. Zdecydował się na objęcie tej posady.

Został instruktoram języka francuskiego i rosyjskiego. Pracował tam w latach 1954 - 1956. Stwierdził jednak, że jest to droga donikąd. Wyjechał do Kalifornii na uniwersytet w Berkeley. Otrzymał pracę jako asystent nauczyciela języka francuskiego. Przeniósł się z rodziną, zostawiając w British Columbia nowo zakupiony dom z oszczędności żony.

Pan Dembowski nie chciał pozostać w martwym punkcie. Postawił sobie cel. Chciał zostać dobrym profesorem. Wiedział, że musi rozwijać się umysłowo poprzez dalsze zdobywanie wiedzy. Cztery lata, jak wspomina, pracował bardzo ciężko. Rano uczył, a po południu sam pobierał naukę. Postanowił zdobyć wiedzę w zakresie filologii romańskiej. Specjalizował się w historii języka i literaturze średniowiecznej.

W przetrwaniu tych bardzo trudnych lat pomagała mu żona. "Wierzyła we mnie, że dam sobie radę" - wspomina dzisiaj profesor. Pani Yolanda udzielała w domu korepetycji z języka francuskiego. Dzięki temu mieli znaczną pomoc finansową.

Cały dzień pana Dembowskiego wypełniony był pracą. Wracał do domu wieczorem, aby zjeść wspólnie kolację z żoną i dziećmi oraz pobawić się z córeczkami. Nie był to koniec pracy. Szedł do biblioteki i tam przebywał do późnych godzin nocnych ucząc się. Było tak każdego dnia.

Na studiach nauczono go, że jeśli siada przy biurku musi rozpocząć natychmiast pracę. Nie wolno wykonywać żadnych innych czynności. Nie jest to łatwe, ale trzeba nauczyć się takiego stylu postępowania. W 1960 roku ukończył studia. Obronił pracę doktorancką. Był dumny, bo czuł, że zdobył solidną i porządną wiedzę.

Przed zakończeniem studiów otrzymał propozycję pracy na uniwersytecie w Toronto. Przyjął ofertę Rozpoczął nauczanie języka francuskiego jako profesor pierwszego stopnia. Po czterech latach otrzymał tytuł profesora nadzwyczajnego.

Podczas pracy zauważył, że uniwersytet jest bardzo snobistyczny. Odczuł również zbyt małą życzliwość ze strony pracowników akademickich. Było to spowodowane tym, że kończył studia w USA. Nie załamał się tym. Rozpoczął karierę naukową. Ukazały się tu pierwsze jego publikacje. Przestudiował manuskrypty średniowieczne i wydał książkę.

W 1961 roku przyjął dodatkową pracę na tzw. letnich kursach. Został skierowany do Alberty na uniwersytet, gdzie powiedziano mu przed laty, że nie ma predyspozyzji do studiowania. Miał nadzieję, że spotka człowieka, który chciał zamknąć mu drogę do wiedzy. Pragnął spojrzeć mu w oczy i powiedzieć, że nie miał żadnego prawa do tego, aby przekreślić jego szanse na zdobycie dyplomu uczelni. Spotkał go, ale był to stary, schorowany dziadzio. Stan zdrowia i wygląd powstrzymał go od wylania żółci.

Profesor Dembowski nigdy nie mówi do studentów "nie". Daje im zawsze szansę. Nic przez to nie ryzykuje.

Po sześciu latach pracy w Toronto otrzymał propozycję przejścia na uniwersytet w Chicago. W 1966 przyjechał do USA. Przez cztery lata pracował na University of Chicago jako profesor nadzwyczajny języka francuskiego.

W 1968 roku został dziekanem studentów.

Następnie przez dziewięć lat pracował jako profesor zwyczajny języka francuskiego.

W 1989 roku został mianowany "Distinguished Service Professor". Jest to wielki tytuł naukowy, który nadawany jest w dowód uznania za wkład pracy i zasługi dla nauki oraz uczelni.

W zdobyciu wiedzy i kariery naukowej potrzebny jest silny charakter, dyscyplina, mocne poczucie tego do czego się dąży oraz optymizm, wiara i humor. Niezmiernie ważną rolę odgrywa wyrobiony nawyk pracy, a także kończenie tego co się rozpoczyna.

Profesor zawsze pracuje naukowo przed południem. Mówi, że kupił część starej farmy w Quebec i zbudował tam dom. Kiedy wyjeżdża z rodziną na urlop z przyzwyczajenia od rana do południa pracuje naukowo. Po południu wykonuje prace na farmie. Lokalnym mieszkańcom trudno jest zrozumieć jego postępowanie.

Niejednokrotnie, kiedy miał bardzo ciężki tydzień pracy, żona wysyłała go na siłę do kina. Wychodził, ale w drodze stwierdził, że ważniejsza jest biblioteka. Rezygnował z przyjemności i odpoczynku. Dokonywał właściwej selekcji. Uważał, że praca z książką jest dla niego ważniejsza.

Profesor Dembowski mówi, że do własnej pracy trzeba używać wszystkich swoich frustracji.

Człowiek powinien myśleć na tematy czysto psychologicznych

rzeczy. Pan Dembowski nie wyniósł z domu wiedzy na ten temat. Nikt w rodzinie nie mówił jak należy pracować, aby osiągać efekty. Nikt też nie poruszał zagadnienia pracy umysłowej.

Profesor pracuje według łacińskiej formułki "pius faber", co oznacza dla niego: teraz robię to uczciwie tak jak tylko mogę. Nie jest to jeszcze najlepsze. Zawsze pozostaje coś do zrobienia.

Człowiek nigdy nie zrobi tego co powinien, ale tylko tyle ile może. Dlatego bardzo ważny jest ten moment, kiedy student kończy swoją edukację. Musi koniecznie kontynuować swój rozwój umysłowy przez kolejny rok i wypracować efektywne, własne, dobre nawyki pracy.

Kiedy został wysłany na jeden rok do Princeton - do ośrodka dla zasłużonych profesorów, nie zrezygnował ze swoich przyzwyczajeń i nawyków pracy. Co dzień o godzinie 6 rano przemierzał odległość jednego kilometra z miejsca zamieszkania do instytutu, aby przedpołudnie spędzić na pracy twórczej. Pobyt ten uwieńczony został powstaniem nowej pozycji książkowej.

Profesor Dembowski kończy obecnie książkę na temat fortuny. Opierał się na wielkiej rozprawie z 1448 roku. Już w XV wieku rozważano i dyskutowano nad tym co jest ważniejsze fortuna czy cnota.

Sukces jest rzeczą osobistą, to nie kwestia społeczna. Na duży sukces składają się małe sukcesy. Stały sukces nie jest sukcesem.

Sukces dla pana Dembowskiego zawsze wydawał się autentyczny, więc stał się prawdziwy.

Pomogły mu w tym podejmowane decyzje, takie jak: wyjazd z British Columbia i z Toronto, przyjazd do Chicago, wejście w inną klasę ludzi - prawdziwych zawodowców, postawienie sobie ambitnego celu i wytrwałe dążenie do niego.

Dla profesora sukcesem jest to, że na przykład we Włoszech na uniwersytetach znają jego nazwisko i prace, że ktoś młody przyjechał z Oxfordu i wie kto to jest Piotr Dembowski. Również i to, że nigdy nie zabiegał i nie prosił o tytuły naukowe, a mimo to została wysoko oceniona jego praca i otrzymał najwyższe wyróżnienie.

Wiele systemów ludzkich łamie ideę sukcesu.

Sukces dla pana Dembowskiego to zjawisko "nie zaniedbywania ważnych decyzji".

Bezpieczeństwo jest w człowieku i nie należy go szukać na zewnątrz. Jak mówi profesor: człowiek nie ma bezpieczeństwa jutra. Każdy potrzebuje sprawdzenia siebie. Autentyczny sukces jest częścią prawdziwej nauki. Sukces, to nie jest oczekiwanie na cud. Na sukces trzeba zapracować.

Owocem pracy profesora są liczne artykuły i pozycje książkowe.

Za dwa lata profesor Piotr Dembowski ma zamiar odejść na emeryturę. Już dzisiaj krystalizuje swoje plany dotyczące dalszej pracy naukowej i edytorskiej na okres, kiedy przestanie uczyć.

CZESŁAW SAWKO

Urodził się w 1930 roku, w Kamiennym Moście w województwie białostockim. Należy do pokolenia Polaków, którym II wojna światowa odebrała dzieciństwo.

W wieku 10 lat, zimą 1940 roku wraz z całą rodziną został wywieziony na daleką północ Rosji. Syberyjskie mrozy, niewolnicza praca, głód i brak ciepłej odzieży nie odstępowały rodziny Sawków przez 16 miesięcy.

Dopiero w 1941 roku układ Sikorski - Majski otworzył zesłańcom drogę do wolności. Dzięki tak zwanej amnestii Sawkowie opuścili okolice Archangielska i udali się na południe. Najpierw wyjechali na tereny, gdzie formowała się armia gen. W. Andersa, a później, wraz z wojskiem, do Iranu.

Po półrocznym pobycie w tym kraju przewieziono ich do Karachi, a następnie do Bombaju w ówczesnych Indiach Brytyjskich.

W 1943 roku na pokładzie amerykańskiego transportowca USS "Hermitage" wyjechali do USA. Znaleźli się w San Diego. Po 10 dniach przewieziono ich do Meksyku. Zamieszkali w Santa Rosa, niedaleko Leon w prowincji Guanajuato, w osiedlu utworzonym dla 1500 polskich uchodźców z Rosji.

Trzyletni pobyt w Meksyku wrył się mocno w pamięć młodego

Czesława Sawko. W warunkach względnego dobrobytu i poczuciu bezpieczeństwa, pod wpływem rodziny, Sióstr Felicjanek, harcerstwa i wybitnych polskich pedagogów, kształtował się tam jego charakter i stosunek do życia.

Po zakończeniu wojny i likwidacji osiedla w Santa Rosa, Sawkowie pozostali w Ameryce. Ich sytuacja była o tyle ułatwiona, że mieli krewnych, którzy od lat zamieszkiwali w USA. Do Stanów Zjednoczonych wyjechali w marcu 1946 roku. Celem ich podróży było Chicago. Tu rozpoczął się niezwykle ważny i aktywny okres w życiu pana Czesława. Podjął pracę w drukarni "Dziennika Związkowego". Dał się poznać przełożonym i pracownikom jako miły, obowiązkowy, uczynny i zawsze uprzejmy młody człowiek. Przepracował w drukarni ponad dwa lata.

Następnym etapem jego zawodowej kariery była praca w kilku zakładach przemysłowych, między innymi w firmie wytwarzającej sprężyny.

Wkrótce jednak powołany został do czynnej służby w Armii Stanów Zjednoczonych. W styczniu 1952 roku wyjechał wraz z jednostką na front do Korei. Mimo słabej jeszcze znajomości języka angielskiego, szybko awansował. Po 8 miesiącach służby posiadał stopień starszego sierżanta. Pełnił odpowiedzialną funkcję szefa plutonu w jednostce inżynierii wojskowej. Okres służby w wojsku dał mu doświadczenie w kierowaniu ludźmi, pozwolił też lepiej opanować język.

Po powrocie do Chicago w 1953 roku ponownie zatrudnił się w firmie produkującej sprężyny. Zdobywał tu pierwsze ważne doświadczenia w zakresie tej specjalistycznej produkcji.

Następny rok przyniósł ważne wydarzenie w życiu osobistym pana Czesława Sawko. Połączył swe życie z panią Stanisławą Grodzką, która tak jak i on, była ocalałym dzieckiem z Syberii. Ze związku tego państwo Sawkowie mają czwórkę dzieci: Jerzego, Marka, Pawła, Julię.

W 1959 roku dysponując kwotą 5 tysięcy dolarów, na którą składały się oszczędności własne i rodziny, pan Sawko otworzył własną firmę produkującą sprężyny. Początki były bardzo trudne. Pracował dużo, po 90 godzin tygodniowo. Jego warsztat pracy mieścił się w piwnicy domu w którym mieszkał. Musiał pokonać różne przeciwności losu. Poświęcił się całkowicie pracy.

Opracował projekt maszyny, która miała zwiększyć wydajność specjalistycznych wyrobów. Kiedy zwrócił się o pomoc nie znalazł chętnych, którzy chcieliby zainwestować w jego wynalazek. Chodziło tu o kwotę rzędu 2 tysięcy dolarów.

Pracując "u siebie" postanowił zrealizować, zrodzony już wcześniej, pomysł konstukcji wyjątkowo wydajnej maszyny, wytwarzającej specjalnego rodzaju sprężyny. Wszystkie możliwe oszczędności przeznaczył na zakup części potrzebnych do tej konstrukcji. W ciągu sześciu miesięcy zbudował maszynę wykazując przy tym ogromną pomysłowość twórczą i zdolności techniczne.

Upór, wiara, ogromny wewnętrzny spokój i nowo skonstruowana maszyna przynosiły z miesiąca na miesiąc wymierne dochody.

Pomyślny rozwój firmy pozwolił wkrótce na wynajęcie większego pomieszczenia i zatrudnienie kilku robotników. Po trzech latach od chwili założenia należące do Czesława Sawko przedsiębiorstwo "R. C. Coil Spring Manufacturing Co". zatrudniało 7 pracowników, a jego park maszynowy liczył 10 automatycznych maszyn wytwarzających różne typy sprężyn.

Fabryka stawała się zbyt ciasna. Podjął decyzję budowy nowego zakładu w Addison IL przy 901 S. Kay Ave. Otwarcie nastąpiło w 1963 roku.

Dotychczasowe osiągnięcia nie zadawalały jednak młodego przemysłowca.

Zmysł biznesmena, ciężka praca i cel jaki przed sobą postawił pozwoliły mu w ciągu kolejnych 6 lat (1963 - 1969) na zwiększenie liczby maszyn do 60 całkowicie zautomatyzowanych i 70 półautomatów. To z kolei skłoniło pana Czesława do budowy nowej fabryki w Addison IL przy 1772 Armitage Court. Był to rok 1970. Obydwie fabryki wraz z zainstalowanym sprzętem stanowiły inwestycję wartości ponad 1 miliona dolarów. Było to zdumiewające osiągnięcie, zważywszy, że przeprowadzono je z własnych środków bez zadłużania firmy. Z biegiem czasu okazało się, że i zakłady w Addison stały się zbyt ciasne. Pan Sawko zbudował więc nową fabrykę o powierzchni 57 tysięcy stóp kwadratowych w Glendale Heights, IL. Wyposażył ją w najnowocześniejsze maszyny.

Obecnie "R. C. Coil Spring Manufacturing Co". zatrudnia 60 osób, a roczny obrót firmy sięga 6 milionów dolarów. Ludzie pracują solidnie. Pan Czesław Sawko zna codzienne problemy swoich pracowników, serdecznie z nimi rozmawia. Dużo swojego czasu przeznacza na bezpośrednie kontakty z załogą. Właściciel mówi z ogromną satysfakcją o swoich pracownikach. Informuje, że ich sytuacja materialna jest tak dobra, że mieszkają w pięknych domach, jeżdżą ładnymi samochodami, kształcą dzieci na uniwersytetach. Na podkreślenie zasługuje fakt, że Pan Sawko zatrudnia wielu Polaków. Ludzie czują się współodpowiedzialni za zakład i za produkcję. Wszędzie panuje nadzwyczajna czystość, mimo że jest to zakład metalowy.

Oprócz fabryki w Glendale Heights pan Sawko jest właścicielem firmy "Action Spring Manufacturing Co." w Arizonie, w pobliżu Phoenix. Prowadzi ją obecnie syn Jerzy, który ma ukończone studia z zakresu administracji biznesu.

Obydwa zakłady produkują niewielkie sprężynki, różnego rodzaju i kształtu, na bardzo skomplikowanych maszynach. Sprężynki pana Czesława Sawko montuje się nawet na statkach kosmicznych. Z uśmiechem mówi, że były one nawet na Księżycu.

Do przejęcia firmy w Glendale Heights przygotowuje się młodszy syn - Paweł. Wykazuje on ogromne zdolności i umiejętności biznesmena. Pomocna jest mu wiedza zdobyta na studiach w zakresie komputerów. Syn pracuje w firmie już 12 lat, w tym ponad 10 na maszynach. Pracuje po 50 a nawet 55 godzin tygodniowo.

Pan Sawko powiedział: Syn musi umieć znacznie więcej niż jego ojciec. Szczególną uwagę zwraca mu na bezpośredni kontakt z pracownikami. Spytany, czy zamierza on lub jego syn rozbudowę fabryki odpowiedział, że tak, ale przede wszystkim pragną skoncentrować się na ulepszaniu i doskonaleniu wyrobów, które od lat cieszą się doskonałą opinią wśród największych kompanii w Stanach Zjednoczonych.

Pan Sawko jest człowiekiem szczęśliwym. Kocha pracę, dom i rodzinę. Dodać należy iż jego syn Marek poszedł śladami ojca - biznesmena i otworzył w Denver (Colorado) firmę komputerową. Również córka Julia, podobnie jak bracia ukończyła studia i pracuje zawodowo w fabryce ojca. Sukcesy zawodowe dzieci cieszą pana

Czesława, chociaż zarzuca sobie, że za mało czasu poświęcił im, kiedy były małe, zbyt pochłonięty był pracą. Obowiązek wychowania głównie spoczywał na żonie, za co jest jej ogromnie wdzięczny. Uważa, że sport jest nieodzownym elementem w wychowaniu dzieci i młodzieży. Pozwala na odwrócenie uwagi od alkoholu, nikotyny, narkotyków, itd.

Również nie jest zwolennikiem dawania dzieciom wszystkiego czego zapragną. Samochody na przykład dostały jego dzieci dopiero po ukończeniu studiów i to nie dlatego, że rodziców nie było na nie stać, ale właśnie ze względów wychowawczych.

Pan Czesław Sawko jest bardzo pracowity, skromny, cichy i otwarty. Ujmuje swą bezpośredniością. Twierdzi, że praca jest dla niego wszystkim.

Zadałem panu Czesławowi Sawko pytanie: Co pomogło mu w osiągnięciu sukcesu?

Odpowiedział, że przede wszystkim nadzwyczajna zdolność do prowadzenia interesów, myślenie twórcze, które pozwoliło na skonstruowanie maszyny, spokój w zachowaniu, wiara w to co się robi, wielki upór i świadomość tego, co się chce osiągnąć.

Dodał, że wykształcenie jest bardzo potrzebne, ale sukces nie zależy tylko od tego.

Pan Sawko jest bardzo aktywny. Pieniądze inwestuje w coraz to inne przedsięwzięcia, ufając własnemu instynktowi popartemu dobrym rozeznaniem w świecie biznesu i wieloletnim doświadczeniem. Nie bał się zainwestować przed kilku laty ponad pół miliona dolarów w Polsce. Jest współwłaścicielem poznańskiej fabryki sprężarek "Airpol". Często odwiedza swój "stary kraj."

Państwo Stanisława i Czesław Sawko prowadzą od lat szeroką działalność charytatywną. Ogółem przekazali na te cele ogromną kwotę około miliona dolarów. Tylko w ciągu ostatnich trzech lat przeznaczyli około 50 tysięcy dolarów dla Fundacji Charytatywnej Kongresu Polonii Amerykańskiej, udzielając między innymi materialnej pomocy polskim szpitalom. 24 tysiące dolarów trafiło na konto, utworzonej przed Edwarda Piszka, Liberty Bell Foundation, prowadzącej programy nauki języka angielskiego w Polsce, a 10 tysięcy dolarów otrzymała Fundacja Paderewskiego powołana przez Barbarę Piasecką - Johnson, koncentrująca się także na odnawianiu historycznych zamków w Polsce. Ostatnio meksykański sierociniec pod Leon, gdzie w latach wojny mieszkali Stanisława i Czesław Sawko dostał od nich hojną donację w wysokości 25 tysięcy dolarów.

Lista organizacji, stowarzyszeń i osób prywatnych, którym właściciel R. C. Coil Spring Manufacturing Co. udzielił pomocy jest bardzo długa. Znajdują się na niej między innymi Rycerze Dąbrowskiego, Chicago Intercollegiate Council świadczące pomoc studiującej młodzieży, Legion Młodych Polek oraz Fundacji "Dar Serca" organizująca leczenie niepełnosprawnych dzieci z Polski w amerykańskich szpitalach. Szczodrego wsparcia doświadczyły również organizacje weterańskie i Komitet Imigracyjny zajmujący się uchodźcami wojennymi i politycznymi. Wspomnieć także trzeba o sponsorowaniu programów radiowych, czasopism, wydawnictw książkowych i imprez kulturalnych.

Dodać należy, że pani Stanisława od wielu lat poświęca 10 do 12 godzin tygodniowo, pracując bezinteresownie na rzecz Central Du Page Hospital na przedmieściach Chicago.

Za swą działalność dobroczynną pan Sawko otrzymał wiele podziękowań i wyróżnień od organizacji polonijnych i władz Stanów Zjednoczonych. Świadczą one o uznaniu z jakim spotyka się jego działalność w społeczności amerykańskiej i polonijnej. Nie często się przecież zdarza, że osoba, która osiągnęła sukces finansowy potrafi dzielić się nim z innymi.

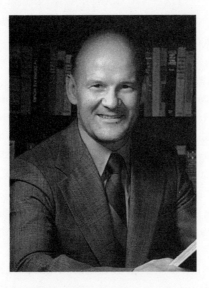

PRZEMYSŁAW BOLESŁAW INGLOT

Urodził się 16 stycznia 1924 roku w Lubaczowie,woj. Lwów. W 1936 r. po ukończeniu szkoły powszechnej rozpoczął naukę w II Państwowym Gimnazjum i Liceum im. A. Witkowskiego w Jarosławiu. Ukończył trzy klasy. W 1939 roku uczęszczał do ósmej klasy systemu rosyjskiego.

28 czerwca 1940 roku cała rodzina Inglotów (ojciec, matka, dwie córki i syn) została wywieziona na Syberię. Młody Przemysław pracował w lasach syberyjskich przy ścince i wywózce drzewa. Była to bardzo ciężka praca.

Pan Inglot powiedział, że jemu zawsze dopisywało szczęście: "Byłem zawsze w odpowiednim momencie i spotykałem odpowiednich ludzi".

Los zrządził, że napotkał w pracy traktorzystę Cybulskiego, który również był zesłańcem. Dzięki niemu otrzymał pracę pomocnika traktorzysty. W późniejszym czasie został traktorzystą.

W wyniku amnestii, po zawarciu układu 30 lipca 1941 roku między Rządami Rzeczypospolitej Polskiej a ZSRR (Sikorski - Majski), Polacy zostali zwolnieni z obozów pracy.

9 października rodzina Inglotów została zwolniona z obozu pracy w Szypicynie. W jedenaście dni później dotarli furmanką do Talmenki

i stamtąd statkiem po rzece Ob dopłynęli do Bernauł. Następny etap podróży odbyli pociągiem towarowym do Dżambułu.

Niedługo cieszył się pan Przemysław szczęściem rodzinnym, bowiem 8 grudnia 1941 roku wstąpił na ochotnika w szeregi Wojska Polskiego stacjonującego w Buzułuku.

Skierowano go wraz z kolegą do rżnięcia i rąbania drzewa do domu pułkownika. Były duże mrozy i pułkownik zaprosił młodych chłopców na herbatę. W czasie rozmowy z pułkownikiem pan Inglot powiedział, że bardzo chciałby iść na front i walczyć za ojczyznę. Pułkownik skierował go do punktu zbornego. Był jak dzisiaj wspomina "chłopcem na posyłki", ale miał już mundur wojskowy.

Marzył o szkole podchorążych. Zwrócił się z prośbą o skierowanie go na naukę. Otrzymał zgodę od dowództwa, ale pod warunkiem, że zrobi maturę.

20 marca 1942 roku wyjechał do Szkoły Podchorążych w Kiermine, do "VII Dywizji Piechoty". Szkołę tą ukończył z wynikiem bardzo dobrym.

Małą maturę zdobył w późniejszym czasie w szkole dla żołnierzy Armii Polskiej w Barbarze (Palestyna).

Został skierowany do "V Kresowej Dywizji Piechoty". W wieku 19 lat otrzymał nominację na podporucznika. Objął dowództwo plutonu.

W wojsku nauczył się cierpliwości, wytrwałości i opanowania. Żołnierz był dla niego żołnierzem, ale równocześnie kolegą. Znał wszystkie kłopoty, zmartwienia i radość każdego z nich.

W walce zginął dowódca II Kompanii zaś zastępcę przesunięto do pracy w sztabie. Młody Inglot został mianowany na dowódcę II Kompanii.

Otrzymał ważne zadanie. Miał opanować przyczółek w Predapio we Włoszech. Była późna jesień. Warunki atmosferyczne w dniu akcji były fatalne. Zadanie jednak zostało wykonane. Wielu Niemców wzięto do niewoli.

Za akcję tę otrzymał pan Inglot order wojenny **Virtuti Militari**.

19 maja 1946 roku w Matino (Włochy) ukończył Liceum Ogólnokształcące i otrzymał świadectwo maturalne.

W 1947 roku przyjechał do Anglii. Spotkał się tu z rodziną. Podejmuje decyzję dalszej swojej edukacji. Ukończył Liceum

Elektroniczne. W 1949 roku został przyjęty na studia inżynieryjne w Bournemouth (Anglia). Dyplom uzyskał 24 października 1952 roku.

Podczas studiów zmarł jego ojciec, a matka i siostry wyjechały do krewnych w Stanach Zjednoczonych. Pan Inglot otrzymał zawiadomienie o ostatecznym terminie wyjazdu do USA. Był akurat przed końcowym egzaminem i wiedział, że nie może przerwać studiów.

Napisał list do ambasadora oraz prezydenta USA, wyjaśniając swoją sytuację i prosząc o pozwolenie wyjazdu w późniejszym terminie. Prośba została uwzględniona.

8 grudnia 1952 roku wyjechał do Chicago celem połączenia się z najbliższą rodziną.

Wkrótce po przyjeździe rozpoczął pracę w "Sherwin - Williams Co." w departamencie technicznym. Pracował tu do maja 1953 roku. Pracę miał bardzo dobrą, ale nie wypełniała ona całego dnia roboczego i nie dawała mu satysfakcji.

Powiedział o tym swojemu szefowi. Uzyskał od niego cenne rady i wskazówki, według których zaczął postępować.

Szef powiedział mu, aby nigdy nie szukał pracy w dużej firmie, gdyż duży zakład to tak, jak duże morze z ogromną ilością ryb. W takim zbiorowisku trudno jest być dostrzeżonym. W małym zakładzie, mimo że praca jest trudniejsza, bo wykonuje się różne czynności, możesz szybko stać się dużą rybą i być dostrzeżonym.

Ponadto poradził mu, aby nie zatrzymywał się w tej samej firmie dłużej niż 3 do 4 lat, aby nie popaść w rutynę. Zmianę pracy trzeba dokonywać nie ze względu na pieniądze, lecz dla pozycji. Jeśli człowiek jest w stanie sprostać postawionym zadaniom, to pieniądze same do niego przyjdą.

Następną pracę pan Przemysław podjął w maju 1953 roku w "Midwest Coil and Transformers Co.", gdzie pracował przez trzy lata.

Od czerwca 1956 roku do lipca 1958 roku pracował na stanowisku asystenta szefa biura w firmie " Schumacher Electric Corp.".

Na dłużej, bo na 6 lat zatrzymał się w firmie "Quality Transformers Corp". (lipiec 1958r. do maja 1964 r). Rozpoczął tu pracę jako szef biura i doszedł do stanowiska wiceprezydenta fabryki.

Coraz częściej myślał o założeniu własnej firmy.

Powiedział o swoich planach właścicielowi. Ten zaproponował mu podwyżkę o 50 dolarów tygodniowo i udział w akcjach. Po przeliczeniu możliwości zakupu akcji w skali roku okazało się, że nie przyniosły by one żadnych zysków. Na zakup większej liczby akcji nie było go stać.

W czerwcu 1964 roku pan Inglot otworzył swój zakład dzięki pomocy trzech dostawców z poprzedniej firmy, którzy zaoferowali mu nieograniczone kredyty.

Fabrykę uruchomił przy Diversey na piętrze. Zarejestrował firmę pod nazwą "Inglot Electronics Corp.". Zakład rozwinął się bardzo szybko.

Pan Przemysław dzięki byłemu szefowi otrzymał wiele zamówień na wykonanie transformatorów.

W późniejszym terminie Peter Globa zwrócił się do pana Inglota o pomoc. Miał problemy z produkcją cewek. Chodziło o znalezienie materiału zastępczego w miejsce miedzi. Pan Przemysław znalazł rozwiązanie, ale do produkcji potrzebne było specjalne urządzenie. Zakupiono je i dostarczono do fabryki pana Inglota. Produkcja ruszyła. Tygodniowo wykonywano 5 tysięcy cewek. Po pewnym czasie pan Przemysław odkupił to urządzenie. Przyniosło mu ono spore dochody.

Początki nie były łatwe. Pracował nawet w niedziele. Po kościele zabierał rodzinę do zakładu i wykonywał niezbędne prace.

Z upływem czasu zakupił na bardzo dobrych warunkach tę część budynku, w której produkowali. Parter zajmowała inna firma, ale w wyniku pertraktacji przenieśli się w nowe miejsce i dzięki temu cały budynek stał się własnością pana Inglota.

Przybywało maszyn i ludzi. Robiło się ciasno. Jedna z firm, w której pracował, zwróciła się do niego i do innego producenta o podobnym profilu o wykonanie wzmacniaczy. Pan Inglot otrzymał do zrobienia trzy duże, a drugi zakład trzy małe wzmacniacze. Podczas montażu dokonali panowie wymiany projektów i konsultowali się.

Została zawarta znajomość. Szef firmy mieszczącej się przy Elston zaproponował odsprzedanie swojego zakładu. Była to bardzo dobra i na czasie oferta dla pana Przemysława.

Zakupił budynek w 1971 roku za kwotę 600 tysięcy dolarów.

Dzisiaj wspomina, że chodziło mu głównie o budynek, a nie o wyposażenie.

Pan Inglot nigdy nie był zwolennikiem pożyczek, ale tym razem zdecydował się. Otrzymał kredyt na 5 lat. Spłacił całość już po 2 latach. I tak stał się właścicielem budynku przy 4878 N. Elston, w którym pracuje do chwili obecnej.

W zakładzie zatrudnionych jest 120 osób. W 50% pracują tu Polacy, reszta to Greczynki, Niemki, Meksykanie i Portorykanie. Stosunki między właścicielem a pracownikami zawsze układają się pomyślnie. Ludzie są oddani i pracowici. Pracują po kilkanaście i więcej lat.

Pan Inglot twierdzi, że ludzie ci są częścią jego sukcesu i bez nich nie osiągnąłby tego do czego doszedł.

Stworzył pracownikom okazję do bogacenia się w wyniku dzielenia się zyskiem - tzw. Profit Sharing. Człowiek odchodzący z zakładu otrzymuje dodatkowe pieniądze. Największą sumę, bo ponad 200 tysięcy dolarów otrzymał kilka lat temu pracownik odchodzący z firmy do innej pracy.

Brakujące wakaty są uzupełniane za pośrednictwem pracowników. Oni to najczęściej proponują swoich znajomych, ludzi z doświadczeniem.

Wartość szacunkowa firmy wynosi w granicach 5 do 7.5 milionów dolarów. Oczywiście w sumę tą wchodzi budynek, sprzęt, zarobki, klienci, doświadczenie.

W sześćdziesiątym trzecim roku życia (1987 r.) pan Inglot przekazał firmę synom. Jeden jest prezydentem, drugi wiceprezydentem. Zrezygnował z połowy swoich zarobków na rzecz synów. Drugą część zatrzymał dla siebie. Przekazał znaczną część obowiązków na synów po to, aby mieć więcej czasu na prace społeczne, charytatywne i na wypoczynek.

Firma pracuje na pełnych obrotach. Na stanie zawsze znajduje się 80% produktów. Nie może zdarzyć się, aby nastąpiły najmniejsze opóźnienia w dostawach. Klient, to nie tylko nasz pan, ale to przełożony każdego producenta, jak mówi pan Przemysław.

Produkty mają wysoką jakość. Pięć dużych firm kupujących wyroby nie sprawdza jakości, wierzą że produkt jest w 100% doskonały.

Pan Inglot osiągnął sukces dzięki temu, że był stanowczy,

opanowany, wytrwały, uczciwy, otwarty, nie bał się ryzyka, śmiało podejmował decyzje. Nigdy nie poddawał się i nie załamywał. Mówił, że jeśli człowiek potrafi podejmować mądre decyzje w 51%, to już jest dobrze. Jeśli w mniejszym procencie to wiele traci. Pan Przemysław patrzy ludziom prosto w oczy. Do popełnionych błędów potrafi się przyznać i naprawić je.

Stwierdził, że nie ma rzeczy niemożliwych do osiągnięcia jeśli tylko człowiek czegoś pragnie.

Nawiązał on kiedyś kontakt z dużą firmą koło Bostonu, która produkowała transformatory. Chciał z nią współpracować. Szef zakładu odmówił mu twierdząc, że już miał kilka ofert i nikt nie był w stanie sprostać jego wymaganiom. Pan Inglot jednak nie zraził się tym. Nalegał, aby pozwolono mu wykonać kilka próbnych transformatorów. Otrzymał zgodę. W krótkim czasie dostał duże zamówienie na transformatory. Były one tak dobre, że inne firmy dokonywały demontażu i kopiowały je.

Osiągnięcia są możliwe tylko wówczas, gdy kocha się to co się robi i ma się jasno skrystalizowany cel, do którego się zmierza.

Pan Inglot ubolewa, że ludzie zmienili obecnie swój stosunek do pracy. Kiedyś na pierwszym miejscu była praca. Stanowiła ona najważniejszą część życia. Dzisiaj na pierwszym miejscu stawia się własną osobę, potem rodzinę, a następnie pracę.

Inglotowie 2 lata temu uruchomili produkcję transformatorów na Kostaryce. Zatrudnionych jest 28 osób. Pieczę nad zakładem sprawuje młody inżynier - Kostarykańczyk. Produkowane tam transformatory nie są kompletne (80%). Uzupełnia się je w Chicago i wysyła do klientów.

Wydajność pracy jest bardzo wysoka. Kostarykańczycy mają ogromne poczucie odpowiedzialności za to co wykonują. Szanują pracę.

Pan Przemysław jest dumny ze swoich osiągnięć. Nigdy nie poprzestawał na tym co już zrobił. Ciągle dążył do czegoś lepszego i nowego. Jest wdzięczny Ameryce, że dała mu takie możliwości i szansę.

Swoje zainteresowania w ostatnich latach ulokował w pracy charytatywnej. Często wyjeżdża do Polski. Widzi wielkie zaniedbania i braki w szkolnictwie i służbie zdrowia. Tam głównie kieruje swoją działalność.

Pełni honorową funkcję Dyrektora Wykonawczego Fundacji Charytatywnej Kongresu Polonii Amerykańskiej. Fundacja ta wysyła milionowe dotacje do Polski. Między innymi co dwa miesiące przesyła leki do szpitala w Prokocimiu, dla dzieci chorych na białaczkę. Po raz pierwszy w życiu zwrócił się pan Inglot do firm odbierających jego produkty o pomoc finansową na leki dla szpitali polskich. Zebrał w bardzo krótkim czasie 50 tysięcy dolarów. To zachęciło go do dalszej wzmożonej pracy charytatywnej.

Pomógł i nadal pomaga profesorowi Stodolskiemu - chirurgowi w Warszawie. Na prośbę profesora przesyła do szpitala specjalne wieloczynnościowe aparaty - czujniki. Koszt takiego aparatu wynosi ponad 4 tysiące dolarów. Czujniki te produkuje się w Kaliforni i tu dzięki znajomości z prezydentem firmy otrzymał część tych aparatów jako dar, część po bardzo zaniżonych cenach.

Również wysłał do Warszawy ogromną partię leków na łączną wartość 1.5 miliona dolarów. Leki te mają być rozprowadzone nieodpłatnie dla ludności miast i wsi. Zrodził się problem bowiem nie ma kompetentnej instytucji, która zechciałaby się zająć rozprowadzeniem tych leków w Polsce, zgodnie z wymaganiami ofiarodawców.

Fundacja Charytatywna sprawuje serdeczną opiekę nad Kliniką Armii Krajowej im. gen. L. Okulickiego w Warszawie.

Pan Inglot odwiedził niedawno tę klinikę. Zobaczył wielkość potrzeb chorych i szpitala. Organizuje przesyłki leków i pieniędzy chcąc w ten sposób pomóc lekarzom i pacjentom.

Pan Przemysław czuł wewnętrzną potrzebę spłacenia długu wdzięczności swoim nieżyjącym przełożonym i kolegom z okresu wojny. Jego marzenia spełniły się.

W tym roku był w Polsce wraz z kolegami z byłej "V Kresowej Dywizji Piechoty". Złożyli wizytę w jednostce wojskowej w Gubinie, która nosi imię "V Kresowej Dywizji Zmechanizowanej im. B. Chrobrego". Ofiarowali replikę sztandaru i przekazali historyczne wspomnienia z działań wojennych tej dywizji.

Żołnierze będą nosili w tarczach na ramieniu nazwę: "Żubry - V Kresowa Dywizja Zmechanizowana im. B. Chrobrego".

Pan Inglot powiedział: Poczułem się wreszcie wolny od obciążeń. Wypełniłem swój patriotyczny obowiązek. Pan Przemysław jest pełen sił i zapału na rzecz dzieci i szpitali w Polsce.

Pani Danuta Inglot - były żołnierz Armii Krajowej, uczestniczka Powstania Warszawskiego i jeniec wojenny obozu kobiet AK w Hagen Westfalia w Niemczech, jest ogromnie wyrozumiała dla męża. Wspiera jego działalność społeczną. Z uśmiechem mówi, że częściej widziała męża w domu, gdy pracował na pełnym etacie w fabryce aniżeli teraz. Mimo że mają własne kondominium na Florydzie nie korzystają z niego w pełni ze względu na działalność męża.

Pan Inglot ma wielkie poczucie służebnej roli dla kraju, w którym się urodził, jak i dla kraju, w którym mieszka.

ANATOL TOPOLEWSKI

Gdyby każdemu z nas zadano pytanie czy w ciągu 6 lat od momentu przyjazdu do obcego kraju bez znajomości języka i praktyki zawodowej można stworzyć firmę zajmującą się projektowaniem i produkcją nowoczesnych urządzeń, na pewno wiele osób odpowiedziałoby przecząco.

Pan Anatol Topolewski urodził się w 1954 roku w Klenikach w województwie białostockim. Tam też ukończył Szkołę Podstawową. W latach 1973 - 1977 był studentem Wyższej Szkoły Inżynieryjnej w Białymstoku. Ukończył Wydział - Maszyny i Urządzenia Rolnicze. W marcu 1977 roku przyjechał odwiedzić rodzinę mieszkającą w Chicago. Fascynacja techniką i duże szanse na rozwój własnej osobowości oraz poszerzenie wiedzy zadecydowały o tym, że pozostał w USA.

W tym roku mija 10 lat od powstania firmy "Anatol Automation Incorporated". Zakres jej działalności obejmuje projektowanie i produkcję nowoczesnych automatów montażowych dla przemysłu elektronicznego, elektrycznego, samochodowego, telekomunikacyjnego i farmaceutycznego.

Funkcjonują dwa zakłady: w Mundeline w Illinois i w Santa Ana w Kalifornii. Zatrudniają one łącznie 150 osób, w tym 50 inżynierów.

W bieżącym - 1993 roku, obroty firmy wyniosą 20 milionów dolarów. Marzeniem i celem pana Anatola Topolewskiego jest zwiększenie ich pięciokrotnie do roku 2000.

183

Droga do uruchomienia własnego biznesu nie była łatwa. Z ogromnym uporem pokonywał pan Anatol wszystkie przeciwności losu. Od Amerykanów uczył się poprawnego prowadzenia biznesu i umiejętności praktycznych. Chciał być najlepszy w tym co robił. Zmieniał firmy, w których pracował, ale jak podkreśla nie ze względu na zarobki, lecz głównie po to, aby nabyć nową wiedzę i doświadczenia. Również związane to było z jego cechami charakteru - dociekliwością, uporem, wiarą i odwagą.

Zdobył rzetelną wiedzę w zakresie administracji i zarządzania na University of Chicago otrzymując dyplom magistra. Studiował i jednocześnie prowadził własny biznes.

Dziesięć lat prowadzenia biznesu pozwoliło na wypracowanie własnego modelu funkcjonowania zakładu, produkcji i marketingu. Główna uwaga skierowana jest na jakość i wydajność. Ludzie pracujący w firmie są jej największym bogactwem. Dzięki ich wiedzy, pomysłowości i zaangażowaniu firma może rozwijać się dynamicznie. Preferowane są zasady promowania ludzi i dawania im ciągle nowych szans.

Z uwagi na profil firmy i ciągłe zmiany wytwarzanych produktów przed pracownikami stawiane są wysokie wymagania. Przyczynia się to do bardzo szybkiego rozwoju zdolności, umiejętności i doświadczeń załogi.

Pracownicy informowani są na bieżąco o zamierzeniach i planach rozwojowych firmy. Dzięki temu mogą uczestniczyć w jej wzroście i osiągnięciach. Pan Topolewski stawia sobie i pracownikom duże wymagania.

W firmie "Anatol Automation Inc." został wprowadzony nowy rodzaj księgowości. Jest on przejrzysty, zrozumiały i dostępny dla każdego pracownika.

Pracownicy nie mogą mieć cienia wątpliwości co do kondycji finansowej zakładu. Najmniejsze niedomówienia i niejasności mogłyby narazić zakład na utratę prestiżu z jednej strony oraz na brak zaufania ludzi z drugiej.Wszyscy pracują rzetelnie, ponieważ to co zostaje wypracowane ponad 30 % czystego zysku jest dzielone między pracowników.

Nad produkcją i jej jakością czuwa pani Kathleen Murphy, żona pana Topolewskiego. Jest bardzo energiczna i operatywna. Ma dużą wiedzę i dobre przygotowanie do prowadzenia biznesu.

Automatyka przemysłowa jest zupełnie nową dziedziną i nie ma ona wypracowanych wzorów do naśladowania. Do wielu rozwiązań trzeba dochodzić drogą prób i błędów. Marzeniem pana Topolewskiego jest opracowanie silnego modelu firmy. Dąży on do tego, aby stać się potęgą na rynkach świata. Potrzebna jest tu gruntowna wiedza z zakresu polityki i ekonomii kraju, w którym planuje się uruchomienie firmy lub sprzedaż automatów przemysłowych. Hasłem naczelnym "Anatol Automation Inc." jest: "Być blisko klienta".

W Polsce pod koniec bieżącego roku rozpocznie swą działalność filia firmy chicagowskiej.

W przyszłym roku na przedmieściach Chicago zostanie oddany do użytku nowo wybudowany zakład o powierzchni 20 tysięcy metrów kwadratowych. Ma to być centrum rozwojowe "Anatol Automation Inc."

W zamierzeniach rozwojowych na najbliższe lata znajduje się plan otwarcia zakładu filialnego w Azji. Ma to nastąpić w 1995 roku.

Pan Topolewski korzystał trzykrotnie z pożyczek, ale szybko je spłacał. W obecnej chwili jest w 100% właścicielem firmy.

W rozmowie na temat emigrantów z Polski wyczuć można u pana Anatola nutę rozczarowania. Dostrzega on u ludzi zaniżone ambicje. Uważa, że prawa w tym kraju dają ogromne szanse każdemu, kto tylko chce z nich skorzystać. Nie wolno bać się podejmowania ryzyka. Trzeba wiedzieć do czego się zmierza i co się chce osiągnąć. Sam osobiście chętnie pomaga tym, którzy chcą się nauczyć czegoś mądrego i użytecznego.

Pan Topolewski mówi, że jeśli pragnie się mieć osiągnięcia w biznesie, to trzeba być najlepszym i pierwszym w tym co się wykonuje. Należy mieć cel, do którego dąży się krok po kroku. Nieodzowna jest konsekwencja, wiara we własne siły i możliwości, perspektywiczne plany oraz założenia. Również ważna jest rzetelna wiedza i znajomość podstaw biznesu.

"Nauka, to okno do biznesu" - jak mówi pan Topolewski. Praca zaś jest samorealizacją. Pan Anatol kocha pracę. Nie miał takiego dnia, w którym zabrakłoby mu chęci i zapału do tego co robi. Jest to człowiek z ogromną pasją działania. Nie przywiązuje zbytniej uwagi do przeszłości. Dla niego liczy się dzień dzisiejszy, to co jest teraz. Mówi, że człowiek sukcesu musi mieć silną osobowość.

Potrafi swoimi wypracowanymi metodami zmniejszać ryzyko ewentualnych niepowodzeń, co jak mówi jest niezbędne w prowadzeniu biznesu. Niepowodzeń nie traktuje jako całkowitej klęski. Analizuje je i likwiduje przyczyny. To pozwala mu lepiej i wydajniej organizować pracę, planować oraz konstruktywnie działać. Na każdy dzień trzeba nakreślić sobie działania związane z postawionym celem i dążyć do ich osiągnięcia. Z zadań tych należy rozliczać się przede wszystkim przed samym sobą.

Pan Topolewski stwierdził, że każdy najmniejszy sukces utwierdza go w przekonaniu o prawidłowości oraz trafności stosowanych zasad i stanowi bodziec do dalszego działania.

Wybrał jak każdy przeciętny człowiek drogę po której kroczy konsekwentnie i wytrwale. Przyjmuje trudne zamówienia, wymagające inwencji twórczej, bowiem uważa, że dają one szansę rozwoju dla pracownika i dla firmy.

ZBIGNIEW KARWOWSKI

Urodził się 20 września 1953 roku w Białogardzie w województwie koszalińskim, w rodzinie inteligenckiej.

Od wielu pokoleń rodzina jego związana była z Warszawą. Z dumą wspomina, że babcia pracowała w fabryce Matuszewskiego na Grochowie, jako majstrowa od robienia pończoch. Po wojnie rodzice przenieśli się na ziemie odzyskane.

Szkołę Podstawową i Liceum Ogólnokształcące im. Bogusława X ukończył w Białogardzie. Nie zapowiadał się najlepiej w szkole podstawowej, jak mówi dzisiaj. Zdecydowanie lepszy, niemal genialny, był jego brat Tadeusz, starszy o rok i sześć miesięcy.

Ogromny wpływ na jego zachowania, postawy i cechy charakteru miała babcia. Zarówno Zbigniew jak i Tadeusz odziedziczyli po ojcu zdolności matematyczne. Mama wychowywała ich w duchu katolickim.

W siódmej klasie Zbigniew Karwowski został wysłany na wojewódzką olimpiadę matematyczną. Zajął II miejsce. Dostrzeżono wówczas u niego zdolności matematyczne.

W liceum, obydwaj z bratem, zdominowali swoich rówieśników w przedmiotach ścisłych. Brali udział w licznych olimpiadach matematyczno - fizycznych, zajmując wysokie lokaty. Brat, po ukończeniu liceum, wybrał studia na Uniwersytecie w Poznaniu, w zakresie matematyki teoretycznej. Rodzice nie byli zadowoleni z takiej decyzji. Dlatego też drugi syn, nie chcąc robić rodzicom zawodu wybrał Politechnikę w Gdańsku.

Wychowany został w atmosferze prozachodniej i antykomunistycznej. W domu śledzono codziennie wiadomości z radia, a szczególnie wieczorem audycji Głosu Ameryki, BBC i Wolnej Europy.

Rozpoczynając studia posiadał bardzo dobre rozeznanie polityczne, był negatywnie nastawiony do komunistów. Za publiczne wystąpienie na walnym zebraniu studentów z udziałem władz uczelni został, jak się dowiedział w późniejszym okresie, wciągnięty na "czarną listę".

Będąc na czwartym roku studiów zawarł związek małżeński z koleżanką z tego samego wydziału - Elwirą. Żona pana Zbigniewa obecnie pracuje jako kontraktor, projektuje programy komputerowe dla firm amerykańskich.

Ze związku tego państwo Karwowscy mają dwie córki: Elizę (17 lat) i Martę (14 lat).

W 1977 roku pan Zbigniew ukończył Politechnikę, Wydział Elektroniki, uzyskując stopień magistra inżyniera elektroniki.

Chciał pracować naukowo na Politechnice Gdańskiej. Podanie jego zostało jednak odrzucone ze względów politycznych.

Bał się szarzyzny, miał duże ambicje. Postanowił szukać pracy w takim zakładzie, który dałby mu szansę dalszego rozwoju naukowego poprzez nowoczesność.

Wybrał Włocławek - Zakłady Azotowe, Kompleks PVC. Rozpoczął pracę w ośrodku komputerowym jako inżynier. Była to unikalna fabryka. Pierwszą część zakładu zbudowali Francuzi. Dalszą budowę prowadzili Anglicy w oparciu o licencję japońską. Wielka technologia, nowoczesne komputery firmy Hitachi pociągały młodego Karwowskiego.

Po pierwszym miesiącu pracy został wezwany do Szkoły Oficerów Rezerwy, na okres jednego roku. Wojsko bardzo lubił. Każdy wykształcony mężczyzna powinien być oficerem - mówi pan Zbigniew. Przez pół roku, jako podchorąży, prowadził wykłady z elektroniki dla młodszych oficerów.

Powrócił do Włocławka. Przez 6 lat pracował jako starszy inżynier. Zetknął się z inżynierami z krajów zachodnich. Na Węgrzech odbył szkolenie w japońskim ośrodku komputerowym. Kilkakrotnie był w

Niemczech celem zdobycia nowych wiadomości i praktycznych doświadczeń. Odbył szkolenie u Siemansa w Karlsruhe i w Erlangen. Nigdy nie miał pragnienia wyjazdu z Polski na stałe. Wyjazdy służbowe traktował ściśle naukowo. Chciał zdobyć jak najwięcej wiadomości. Pan Karwowski twierdzi, że polskie uczelnie dają rzetelną wiedzę, szkoły matematyczne są przodujące, zaś książki z matematyki mają najwyższy poziom światowy.

W okresie słynnych strajków w Gdańsku, kiedy działalność swą rozpoczęła "Solidarność", był bardzo aktywny politycznie. Był jednym z tych, którzy opracowali plan działania i postawili fabrykę we Włocławku w stan strajkowy. Był to rok 1980. Wspomina dzisiaj, że była to ogromnej wagi decyzja. Zdawali sobie sprawę, że zakład chemiczny jest trudny do spacyfikowania. W fabryce znajdowały się potężne zbiorniki trucizn, typu: amoniak, chlor, chlorek winylu. Pracowało tu 4 tysiące ludzi. Organizatorzy strajku zdawali sobie sprawę z tego, że jedna nierozważna akcja mogłaby doprowadzić do tragedii na dużą skalę.

Pan Zbigniew działał w komisji zakładowej "Solidarność", a później w Regionie Kujaw i Ziemi Dobrzyńskiej. Występował jako wykładnia polityczna. Był w pełni dojrzały i posiadał gruntowną wiedzę w tym zakresie. Wytypowany został na Krajowy Zjazd "Solidarności", który odbył się w Gdańsku, w Hali "Oliwii". Wygłosił na nim przemówienie postulujące wybory do Sejmu, które zostało zacytowane na pierwszej stronicy "Trybuny Ludu" w dniu ogłoszenia stanu wojennego.

Na zjeździe został wybrany na członka Komisji Krajowej "Solidarność". Działał w komisji gospodarczej. Był współtwórcą "programu Kurowskiego".

Ostatnie obrady Komisji Krajowej odbyły się w Gdańsku tuż przed ogłoszeniem stanu wojennego. Nocą, po zakończeniu obrad, udał się pan Karwowski wraz ze swym kolegą Marianem Nowickim - przewodniczącym regionu, do Włocławka. Mieli małego "Fiata" i kierowcę. Dojeżdżając do Torunia spotkali się z wojskiem i kolumnami czołgów kierujących się na Warszawę. Kilka kilometrów za Toruniem zostali zatrzymani przez milicję i przewiezieni do Komendy Wojewódzkiej MO, gdzie panował niesamowity chaos i dezorientacja. Tu usłyszeli, że został ogłoszony stan wojenny. Po kilku godzinach zostali przewiezieni do więzienia dla młodocianych w Mielęcinie. Internowanie to trwało 11 miesięcy.

W roku 1981 powrócił do Włocławka. Znalazł się w trudnej sytuacji. Skorzystał z otwartej możliwości wyjazdu na zachód. W 1983 roku otrzymał dla całej rodziny wizy i bilety. Mieli tylko 180 dolarów i bagaż o wadze 60 kilogramów. W lutym znaleźli się na terenie Niemiec, gdzie odbyli kwarantannę.W marcu wyjechali do Stanów Zjednoczonych.Zostali skierowani do Springfield w stanie Missouri. Podróż sfinansowana została z międzynarodowej akcji - Genewa. Koszty jednak należało spłacić w ratach po 50 dolarów miesięcznie, w momencie podjęcia pracy.

Sponsorami rodziny Karwowskich był Kościół Baptystyczny w Springfield. Po przylocie otrzymali mieszkanie i wyżywienie. O pracy można było tylko marzyć. Trwało to 6 miesięcy. Czas ten wykorzystał pan Zbigniew na poznawanie wiedzy w zakresie komputerów amerykańskich. Korzystał z książek biblioteki uniwersyteckiej.

Nawiązał kontakt z kolegą w Minneapolis, który obiecał mu pomoc w znalezieniu pracy. Przesłał swoje dokumenty. W krótkim czasie otrzymał telefoniczne zaproszenie na rozmowę do CPT (Computer Powered Typewriter) w Minneapolis. Pożyczył 60 dolarów na podróż, którą mocno przeżył.

Pan Karwowski był bardzo podekscytowany. Znalazł się w mieście o wysokiej technologii. Minneapolis, to jedno z największych centrów elektroniki i komputerów na świecie.

Niezapomniane wrażenie wywarła na nim firma CPT. Myślał, że znalazł się w pałacu. Szokiem dla niego była rozmowa z przedstawicielem firmy - Amerykaninem Henry Neils'em, a następnie podpisanie kontraktu. Został przyjęty na stanowisko młodszego inżyniera z pensją 26 tysięcy dolarów rocznie, z gotówką 2 tysięcy dolarów na zagospodarowanie i bezpłatne mieszkanie w hotelu przez pełny miesiąc. Wówczas nie wiedział dlaczego został tak przyjęty. Dzisiaj wie, że w Ameryce jeden dobry inżynier jest wart więcej niż cały zespół średnich, bowiem kilku dobrych inżynierów może przynieść firmie milionowe dochody.

Do Minneapolis przyjechał z rodziną w październiku 1983 roku starym Buickiem, którego dali mu jego sponsorzy na spłaty (600 dolarów).

Pierwsze miesiące pracy w CPT były bardzo trudne. Był przekonany, że posiada gruntowniejszą i dokładniejszą wiedzę niż jego amerykańscy koledzy. Nie załamał się. W sukurs przyszła mu ambicja. W ciągu pół roku, dzięki wytężonej wielogodzinnej pracy, opanował sprzęt amerykański i różne komputery.

Po czterech miesiącach zatrudnienia otrzymał do wykonania duży projekt, który miał dać przełożonym orientację o jego umiejętnościach i wiedzy. Polecono mu wykonać program do word processora, który będzie automatycznie sprawdzał błędy (spelling). Miał to być pierwszy amerykański program tego typu. Projekt wykonał poprawnie. W przeciągu 6 miesięcy program ten przyniósł firmie znaczące dochody - 1 milion dolarów.

Po roku pracy w CPT doszedł do przekonania, że powinien piąć się w górę i pracować tak dużo, na ile tylko pozwoli mu umysł. Chociaż miał 36 tysięcy rocznych dochodów i stanowisko starszego inżyniera projektanta postanowił zmienić firmę.

Marzył o komputerach graficznych, o super komputerach. Wykorzystał okazję i na giełdzie technicznej w Minneapolis złożył papiery do "Cray Research" oraz rozmawiał z przedstawicielami firmy "Control Systems".

Firma "Control Systems" w przeciągu tygodnia przysłała mu ofertę pracy z gażą 60 tysięcy dolarów rocznie. Decyzję podjął szybko. Najważniejszym elementem była szansa na zdobycie dalszej wiedzy w zakresie grafiki komputerowej. Rozpoczął pracę w 21-osobowym zespole, o obrotach 1 miliona dolarów rocznie. W ciągu roku zakład rozrósł się do 100 osób i 30 milionów dolarów obrotu.

Wykazał się tu swoimi zdolnościami, umiejętnościami i wiedzą. Opracował wiele nowych projektów.

W międzyczasie otrzymał ofertę pracy z "Cray Research" - najpotężniejszej firmy na świecie, produkującej super - komputery o najnowszej technologii, której obroty roczne sięgają 1 miliarda dolarów. Nie brał pod uwagę zarobków, myślał tylko o dalszym rozwoju swojego potencjału umysłowego.

W ciągu miesiąca załatwił wszystkie potrzebne formalności w "Control Systems" i przeszedł do firmy "Cray Research". Otrzymał niższą pensję - 56 tysięcy dolarów rocznie. Został przyjęty na stanowisko starszego inżyniera. Był dumny i szczęśliwy, że może pracować w tak nowoczesnej firmie komputerowej. Pracował na wielu maszynach Cray'a o największej mocy obliczeniowej na świecie. Dzisiaj pan Zbigniew z nieukrywaną dumą mówi, że został rzucony na głęboką wodę. Pracował w specjalnej grupie projektującej systemy operacyjne i programy symulujące. Wysoko cenił sobie nienormowany czas pracy oraz wspaniałe, komfortowe warunki.

W mózgu jego zaczął się rodzić projekt otwarcia własnego biznesu. W 1989 roku skontaktował się z Henry Neils'em, tym samym, który przyjmował go do pracy w CPT. Zaproponował mu założenie korporacji w Polsce i w USA. Zwrócił się do niego o współpracę, gdyż Henry był doskonały w marketingu. Zaprosił go na wspólny dwutygodniowy wyjazd do Polski. Pan Zbigniew chciał pokazać swój kraj, jego walory i potrzeby.

Miał już wszystko rozpracowane i przymierzał się do zarejestrowania firmy. Stał przed niebagatelnym problemem. Był pracownikiem firmy "Cray Research", gdzie wiele projektów było ściśle tajnych. Nie był pewien jakie stanowisko zajmą jego przełożeni. W wyniku pertraktacji ustalono, że firma "Cray Research" w każdej chwili będzie miała prawo do kontrolowania wszystkich kontraktów zawieranych przez pana Karwowskiego oraz, że programy będą robione tylko na komputery PC.

W marcu 1990 roku została zarejestrowana firma pod nazwą "ZH Computer" (ZH - Zbigniew, Henry). Jest to prywatna korporacja z siedzibą w Bloomington w stanie Minnesota. Szefem marketingu został Henry Neils. W Warszawie została zarejestrowana spółka ze stuprocentowym udziałem kapitału zachodniego "Computer Program ZH". W firmie tej są produkowane programy o wysokim zaawansowaniu naukowym, o najwyższej jakości, programy konkurencyjne. Programy rozprowadzane są na rynku amerykańskim.

Pan Karwowski mówi, że stara się stworzyć w swojej firmie w Polsce "kawałek Ameryki". Uważa, że należy dążyć do tego, aby zachodnia wiedza i kultura prowadzenia biznesu została przekazana do Polski. Kultura ta, to teoria zarządzania firmami, operowania kapitałem, zdobywania inwestycji, badania rynku, przygotowywania planów biznesowych, jak również wysoka etyka zawodowa.

W 1990 roku do Polski wysłanych zostało 10 komputerów i niezbędny sprzęt. Przez ogłoszenia w "Życiu Warszawy" dokonany został nabór kandydatów. Spośród 500 zgłoszeń zostało wyselekcjonowanych 30 osób. Po rozmowie zatrudniono 6 najlepiej zapowiadających się pracowników.

Prezesem polskiej firmy został kuzyn pana Zbigniewa - Waldemar Karwowski, doktor matematyki.

"ZH Computer" chce wytwarzać takie programy, jakich nikt nie był i nie jest w stanie wykonać. Przez trzy lata korporacja pracowała na konto swojej opinii, albowiem bardzo dobra opinia daje możliwość pozyskania dużych, liczących się firm jako klientów i umocnienie się na rynkach krajów, w których rozprowadzany jest produkt. Pan Karwowski mówi, że korporację stworzył nie dla pieniędzy, ale dla niej samej.

Wiedział, że osiągnięcie celu jaki sobie nakreślił, jest możliwe tylko przy współpracy z Amerykanami. On nie umie liczyć pieniędzy, w zamian za to umie projektować programy. Amerykanie zaś liczą i cenią pieniądze, potrafią szybko przeliczać i korygować błędy. Był przekonany, że Amerykanie dadzą mu wiedzę z zakresu biznesu, marketingu, bankowości, itp.

Przez trzy lata wszystkie pieniądze były inwestowane w rozwój korporacji. Dopiero czwarty rok przyniósł 1 milion dolarów obrotu i pierwsze znaczące dochody.

W styczniu 1993 roku pan Karwowski przestał pracować dla firmy "Cray Research" i zajął się własną korporacją jako jej prezydent.

Wyprodukowano unikalne rzeczy. Do największych osiągnięć "ZH Computer" należy pierwszy na świecie program "Midi Scan". Jest to system, który pozwala przy pomocy skanera odczytywać całe strony nut i rozkazać komputerowi rozpoznać obrazy i zakodować muzykę oraz grać. Program koduje muzykę w fromacie "midi międzynarodowym". Zastosowano tu specjalne matematyczne metody rozpoznawania obrazu. Program ten wykonała grupa inżynierów w Polsce pod nadzorem dr Homendy z Politechniki Warszawskiej, pracującego w firmie "Computer Program ZH"

Wszystkie produkty wykonuje się w Polsce, zaś marketing robiony jest w USA. Programy sprzedawane są w Stanach Zjednoczonych. Każdy produkt wychodzi z adnotacją, że wykonany został w Polsce.

Wyprodukowano też wiele interesujących gier, które projektuje często sam pan Zbigniew. Bywa, że pomysły przychodzą nieoczekiwanie, w dziwnych sytuacjach i okolicznościach.

Ukazało się wiele artykułów w różnych magazynach na temat programów produkowanych w Polsce. W ten sposób chce pan Karwowski promować polską naukę.

Największym produktem, który został niedawno zaprezentowany na targach lingwistycznych, jest pierwszy na świecie program rozumiejący teksty angielskie. Program ten nosi nazwę "Syntactica". Pozwala on na otrzymanie w krótkim czasie logicznego streszczenia tekstu i jego indeksu. Program ten czyta pełne zdania, rozumie semantycznie i syntaktycznie język angielski, analizuje zdania i robi streszczenie dokumentu.

Nad programem tym pracowała przez 15 lat jedna z firm amerykańskich, która zbankrutowała. "ZH Computer" w ciągu dwóch lat dokończyła ten program. Firma przewiduje, że w przeciągu trzech lat produkt ten powinien przynieść dochód 10 milionów dolarów.

Ostatnio pan Zbigniew wyszukuje na polskich uniwersytetach programy o poważnym zaawansowaniu matematycznym, a których realizacja została przerwana z braku środków finansowych. Finansuje dokończenie, pomaga w projektowaniu i wydaje je przez swoją firmę.

"Wszystko to wymaga wielkiej cierpliwości i wytrwałości. Trzeba krok po kroku, z uporem maniaka, forsować swoją koncepcję i to tak, aby nie zbankrutować" - mówi pan Karwowski.

Firma "Computer Program ZH" została ubezpieczona w rządzie amerykańskim, jako piąta firma otwarta w Polsce, w ramach firm powstających w Europie Wschodniej. W miesiącu wrześniu w 1993 roku firma była wizytowana i sprawdzana przez pracowników amerykańskiej firmy ubezpieczeniowej OPIC. W przeszłości zarzucano panu Karwowskiemu w Stanach Zjednoczonych, że zatrudnia inżynierów w Polsce, zwiększając przez to bezrobocie w USA. Okazało się jednak, że dzięki produktom firmy "ZH Computer" powstały już dwie amerykańskie korporacje, a strona polska otrzymała wiele tysięcy dolarów, amerykański sprzęt i dokumentację. Inżynierowie z Polski odwiedzają też USA podczas wyjazdów służbowych.

Pan Karwowski uruchomił drugą korporację "Million - Zillion".

Podobnie jak w przypadku "ZH Computer" współudziałowcem jest strona amerykańska - pani Laurel Parriott. Jest to firma handlowa. Powstały już pierwsze produkty w Polsce. Są to wisiorki i kolczyki bursztynowe oprawione w srebro. Opracowano 15 wzorów, których część wykonano w USA.

Firmę można uruchomić w różny sposób. Trzeba ocenić siebie, uwierzyć, że jest się lepszym niż ktokolwiek inny. Wierząc we własne siły i posiadając wiedzę dotyczącą mechanizmów działania amerykańskiego biznesu można zaczynać myśleć o własnej firmie. Przed przystąpieniem do biznesu należy zdać sobie sprawę o jakiej firmie się myśli. Czy ma być to firma prowadzona jednoosobowo w domu, czy też firma amerykańska z kilkoma osobami o obrotach poniżej 1 miliona dolarów, czy też firma ze 100 pracownikami i obrotem w granicach 20 do 30 milionów dolarów rocznie.

Następnie trzeba mieć wizję firmy na dzisiaj i w przyszłości. Pełna świadomość tego, czego będziemy oczekiwali za rok lub za dwa lata jest nieodzowna w planowaniu biznesu.

W biznesie najważniejsi są ludzie. Są oni kapitałem firmy. Jeśli mają otwarte głowy, pomysły i inwencje, to już jest bardzo wiele.

Amerykanie są najlepsi w biznesie. Mają największe doświadczenia w tym zakresie. Pan Zbigniew stwierdził, że gdyby nie miał za sobą Amerykanów, to na pewno po roku działalności jego korporacja przestałaby istnieć.

Uważa on, że każda polska firma, która chce wzrastać, powinna być otwarta na przyjęcie do współpracy wyselekcjonowanych Amerykanów. Polacy najczęściej zamykają się w polskim gronie i nie dobierają do drużyny potężnych w doświadczenia Amerykanów. Amerykanie są bardzo przychylni, otwarci i zainteresowani Europą.

Nie wolno łączyć biznesu z narodowością. Biznes rządzi się zasadami rynku i ekonomii obojętnie gdzie człowiek się znajduje. Musi być robiony w sposób biznesowy a nie narodowościowy.

W Polsce istnieje brak doświadczenia i zrozumienia jak działa rynek amerykański. Brak jest planów biznesowych, które są podstawą w prowadzeniu firmy i negocjacjach inwestycyjnych.

Należy przekazać do Polski rzetelną wiedzę na temat działań i praw biznesu na zachodzie. Jest to tym bardziej istotne i nie cierpiące zwłoki, że wiele firm amerykańskich wkracza do współpracy z firmami polskimi. Polacy mieszkający w USA nie powinni bronić się przed radami Amerykanów, a co najgorsze ignorować w dyskusji ich opinii i sądów.

Następną, ogromnie ważną sprawą jest przełamanie obaw przed dzieleniem się kapitałami. Trzeba ostrożnie oddawać część swoich dochodów. Nie można liczyć na powstanie wielkiej firmy jeśli zatrudniać się będzie najtańszego urzędnika, najtańszego doradcę lub prawnika płacąc im niewiele i nie dając im żadnych perspektyw. Firmy powstają na bazie zespołów ludzkich, którymi się kieruje. Wydajna praca związana jest z wizją przyszłości każdego pracownika.

Pan Zbigniew Karwowski jest doskonałym matematykiem, utalentowanym wizjonerem technologii, sprawdzonym i doświadczonym inżynierem. Osiąga sukcesy w projektowaniu komputerowych systemów operacyjnych, programów symulacyjnych, graficznych, itp. Ma ogromne doświadczenie w zarządzaniu ludźmi i wysoce skomplikowanych projektów technicznych. Jest doradcą wielu firm amerykańskich, które chcą rozpocząć swą działalność w Polsce. Współpracuje z Konsulatem Polskim w Chicago.

Jego niezwykle silne cechy charakteru połączone ze zdolnościami, pozwalają na osiąganie sukcesu.

Firmę "ZH Computer" stworzył po to, aby produkować najwyższej jakości programy naukowe dla klientów Europy i Ameryki Północnej. Równocześnie promuje imię Polski w świecie, wprowadza kulturę biznesu amerykańskiego do Polski oraz pomaga ludziom, dając im zatrudnienie i szansę na rozwój uzdolnień technicznych.

Poznając losy poszczególnych osób na pewno dostrzegłeś wiele cech, które je łączą.

Często słyszę stwierdzenia, że rozpoczęcie pracy we własnym biznesie jest niemożliwe bez gotówki finansowej, bez kredytów bankowych, że to wszystko nie jest takie proste i łatwe.

Osoby, które doszły do swojego życiowego sukcesu i nadal go rozwijają nieustannie dążąc do czegoś nowego oraz doskonalszego, udowodniły, że brak kapitału nie wyklucza tworzenia wielkich przedsięwzięć.

Zauważyłeś Czytelniku, że jedni szybko podejmowali samodzielne decyzje i działania zmierzające do uruchomienia własnego warsztatu pracy, inni przygotowywali się do tego powoli, ale systematycznie. Czasami potrzebny był silny bodziec, wstrząs psychiczny, aby podjąć ryzyko otwarcia własnego biznesu i wykorzystania swojej wiedzy i zdolności.

Decydującym czynnikiem w osiągnięciu sukcesu było to, że mieli oni odwagę, nie bali się ryzyka, wierzyli we własne umiejętności, kochali pracę, potrafili zastosować swoją wiedzę w praktyce, byli dociekliwi i uparci, a przede wszystkim posiadali cel oraz wizję przyszłości.

U podstaw sukcesu leżała ich osobista filozofia życiowa. Wierzyli, że mają w tym kraju, jak w żadnym innym, szansę na zrealizowanie swoich pomysłów i marzeń. Nie zrażali się trudnościami. Dążyli do tego, aby bogacić swoje doświadczenia, a zadania wykonywać najlepiej.

Bazowali na wielkim potencjale jaki stanowią ludzie. Stosunki ze współpracownikami opierali na zasadzie współpartnerstwa i uczciwości. Rozszerzali je na swoich klientów i dostawców.

Pośród nich są tacy, którzy mają wizję techniki XXI wieku i wprowadzają najbardziej precyzyjną mechanikę służącą skomplikowanym gałęziom przemysłu i elektronice. Marzą o zajęciu wielu znaczących rynków świata.

Mamy przedstawiciela błyskawicznie rozwijającej się technologii programów komputerowych, który wykorzystując swoje zdolności, dorobek polskiej nauki i wiedzę zdobytą w USA pragnie wytwarzać takie programy w najróżnorodniejszych dziedzinach nauku, jakich nikt nie był w stanie opracować i wykonać.

Na uwagę zasługuje postać człowieka, który poświęcił się nauce i konsekwentnie rozwijał swoje powołanie. Dzięki wytężonej pracy naukowej w prestiżowej uczelni, przyczynił się do jej rozwoju. Uzyskał uznanie władz uczelni i otrzymał najwyższy tytuł naukowy.

Pragnę serdecznie podziękować wszystkim Osobom, przedstawionym w rozdziale "Ludzie sukcesu z naszego otoczenia" za to, że pomimo rozlicznych obowiązków znalazły czas na rozmowę oraz zechciały podzielić się swoimi doświadczeniami i przedstawić drogę do swojego sukcesu.

ZAKOŃCZENIE

Trud, który pokonałeś czytając poszczególne rozdziały tej książki, jest za Tobą. Zaostrz ołówek i wynotuj w swoim osobistym zeszycie to co może być dla Ciebie użyteczne, najbardziej pomocne w codziennym życiu, to co pomoże uwierzyć Ci we własne siły i uruchomi Twoją twórczą wyobraźnię. Zastanów się zatem, czy wiesz na pewno co jest największym atutem w Twojej osobowiści, co pomaga Ci w osiąganiu pomyślności życiowej? W jakim świecie żyjesz? Jak go oceniesz? Czy jesteś sternikiem własnego okrętu płynącego po wzburzonym oceanie życia? Czy naprawdę wiesz kim jesteś? Co jest Twoją siłą i jakie masz słabości? W jakich kolorach postrzegasz świat w którym żyjesz? Jaki jest Twój stosunek do samego siebie i do innych? Co dajesz swojej rodzinie, przyjaciołom, znajomym, a co od nich otrzymujesz w zamian? Czy jesteś zadowolony ze swojego losu? Czy potrafisz cieszyć się nowym rozpoczynającym dniem i zaczynać go z pełną świadomością tego co masz zrobić?

Możesz stawiać sobie wiele pytań i szukać na nie odpowiedzi.

Wielka droga rozpoczyna się zawsze pierwszym krokiem, który może wydać Ci się trudnym. Postaraj się, aby był on zwrócony we właściwym kierunku.

Pamiętaj, że każdy z nas ma swój czas, który musi wypełnić treścią. Jeśli ta treść jest bogata, to życie będzie pełne radości, szczęścia i sukcesu.

Zegar stale odmierza nasz czas. To co umknęło nigdy nie powróci. Sztuka życia polega na umiejętnym wykorzystywaniu każdej ofiarowanej Ci minuty życia, w której masz rozwijać się i budować dobro.

Szczęście człowieka uzależnione jest od działań, zdolności podejmowania ryzyka i własnej postawy.

Zdarza się, że wątpliwości sprowadzają na Ciebie lęki. I jeśli chcesz się od nich uwolnić musisz się samorealizować w działaniu.

Wysiłek podejmowany każdego dnia, w każdej godzinie nigdy nie bywa daremny.

Moje zamierzenie zostało spełnione.

Przekazałem informacje, wiadomości, które mam nadzieje okażą się pomocne dla Ciebie Drogi Czytelniku.

Teraz kolej na Ciebie. Połącz się w moim trudzie i wypracuj jasną i najcudowniejszą mapę swojego życia.

SPIS TREŚCI

NOTATKI

NOTATKI

NOTATKI

NOTATKI

NOTATKI

NOTATKI